ひらけ！モトム

岩下紘己

大学生のぼくが世田谷の一角で介助をしながらきいた、
団塊世代の重度身体障害者・上田さんの人生

出版舎ジグ

目次

I　はじめまして　7

週に一度の日常　8
はじめまして　18
自立生活の介助、トラブルとコンフリクトについて　21
あらためまして　30

潜り始める直前のひと息――語りはじめ　33

II　ある障害者の生活史　37

0　生まれるまで　38

勝手に家を出て、突然帰ってくる　38
「後継ぎ」として「この体」で生まれる　42
笑いで締めくくる　44

1　おおっぴらにしちゃった　49

近所の友だちと遊ぶ　49
おばあちゃんの英才教育　55

地域の学校に通う　57

2　いらない存在、ではない　65

ひとりぼっちになる　65
このままでいいんだねって　67
少しはこの体が動いたほうがいい　69
ここで俺の人生終わるのか　72
施設に入るということ　77
「障害者」としての自覚　80

ひと呼吸をおく　――語りの中断　86

生活史を聴くということ　90
「障害」の経験への接近　95

3　からだを曝け出す　99

何の問題もなく振られる　99
電動車椅子に乗る　101

東京に出る　103
蜂の会　105
世田谷ボランティア連絡協議会　109
ハンディキャブ　115
夜と夜の夜　117

4　みんなと、ひとりで生きていく　128
太陽の市場　128
エド・ロング、HANDS世田谷　130
みんなの広場・介助者の死　134
母の転倒・父の死・自立生活　137

5　バスはみんな乗れないと　145
乗車拒否　145
東急バス闘争の始まり　150
壁をなくす会　154
ノンステップバス運動・再び介助者の死　158

6　血はつながっていないけれど　164
感覚麻痺・母の介護・第一線から退く　164

重くなる「障害」・入院生活・母の死　167
水俣演劇ワークショップ・重度訪問介護制度　173
人と関わる　178
孫のこと　184
水面に上がった直後のひと息――語りおわり　189

III　ひらいていくこと　193

「みんなにショックを与える上田要の始まり」ということ　194
ひらいていくモトム　196
「家族」について　200
上田さん年表　205

終わりのあとに　206

あとがき　218
参考文献・資料　223
著者紹介　224

ぼくらの住んでる　この街に
いろんな人が　暮らしている
みんながみんなを　認めあって
いろんな人が　暮らしている
でも　気づかなかったり　目を閉じてしまったり
手をつなぐことも　ときとして　きらったりする
もっともっと　もっともっと認めあって暮らしていきたい
もっともっと　もっともっといろんな人の生きていることを知っていきたい

みんなが住んでる　この街で
いろんな人と　出会いたい
みんながみんなを　信じあって
いろんな人と　語りあおう
でも　こころ閉ざしたり　傷つけてしまったり
ささやかな夢を　ときとして　こわしたりする
もっともっと　もっともっと信じあって暮らしていきたい
もっともっと　もっともっとぼくらはともに生きていることを知っていきたい

第１回出夢出夢虫《でんでんむし》コンサート・オープニングテーマ「もっともっと」より。1980年３月９日、世田谷区民会館、上田さんは「仲間たちの作ったこの歌を感動しながら聞いていた」

I　はじめまして

週に一度の日常

火曜日の午後。大学の講義を終えると、図書館で少し時間を潰す。二階に上がると北西側が一面ガラス張りになっており、椅子に座って外を眺めながら本を開く。ガラス越しには、通称鴨池と呼ばれる溜め池やその周りを囲む木々、キャンパスの食堂が見える。そのうちに西陽が差し込み、やがて空が真っ赤に染まってくる。私はいつの間にか本を読むことも忘れ、飽きもせずにただそれを眺める。

冬が近づいてきている近頃は、日が暮れるのも早くなった。こんな時期には、日が傾き始めると本を片付けて、私はキャンパスを後にする。一七時過ぎ。キャンパスから最寄り駅まではバスで一〇分、自転車で一五分という距離でなかなか遠い。バスに乗るにはお金がかかるし、肝心の自転車は壊れてしまって、買い換えるのにもお金がかかる。それに卒業まであと半年の辛抱、ということで最近は走って通学している。節約にもトレーニングにもなるという、まさに一石二鳥である。考え事でもしていればあっという間に駅まで着く。

電車に揺られて一時間ほどで上田さんの家の最寄り駅に着く。一八時半。仕事の始まる三〇分前に到着するという、私にしては異例の早さである。しかし、これは気合が入っているとか、やる気があるとか、そういうわけではない。急行が止まらない駅なので、電車の本数が限られているというだけの話である。この電車を逃すと痛い目に合う。一度だけこの電車を逃したときは、心臓が飛び出そうなほど全速力で上田さんの家まで走った。もう二度とこんな目には遭いたくない、と懲り懲りした。

そんなわけで時間がたっぷりあるので、私は上田さんの家までぶらぶら歩いてゆく。この頃にはもう日も暮れて、道路は街灯と店の明かりに照らし出されている。特に商店街は明るい。スーパーでは、帰宅途中のサラリーマンや子どもの手を引く主婦、ご高齢の夫婦、大学生くらいの若者など、いろいろな人が買い物をしている。居酒屋からは、暖かな灯りと賑やかな声が漏れてくる。コンビニにカップルが腕を組んで入っていく。右側から自転車が追い越していく。正面から車がやってきて、歩行者と自転車はみな道路の端に身を寄せる。古本屋のおじさんが店番をしながらテレビを見ている。

商店街を抜けると、喧噪と明かりが遠ざかっていく。踏切を渡り線路沿いを進むと、やがて鎮守の杜の木々が道の上に覆い被さってくる。居酒屋の楽しげな話し声も、もう聞こえてこない。少し寂しくもなるが、夜の暗闇と静寂にほっと一息つく。

緩やかな坂道を下り、角にたこ焼き屋がある一つ目の信号を越え、さらに住宅街の中を通り抜けていく。どこからか、美味しそうな匂いが漂ってくる。立ち並ぶ一軒家から、いくつもの明るい窓が浮かび上がって見える。もう夕食どきである。

二つ目の信号を右に曲がると、上田さんのマンションがすぐ右手に見えてくる。駅からこの信号まで、ほぼまっすぐな一本道である。駐輪場を通り過ぎ、奥にあるゴミ置場の手前を右に曲がると階段が現れる。三階まで上り、外廊下を左に曲がって一番奥の右側の部屋が、上田さんの家である。一九時五分前。ようやく着いた。

インターホンを鳴らし、「こんばんはー」と言いながら、私は玄関のドアを開ける。もわっとした独特の匂いの中に足を踏み入れる。看護師さんからなるべく窓を開けないようにと言われており、空気が滞っているのだ。上田さんは家の中で基本的に横になっているので、特に冬は冷えやすいのだろう。時々私はさりげなく「空気でも入れ替えませんか」と尋ねて、きちんと上田さんの許可を得て窓を開ける。もしくはベランダに置いてある洗濯機に服を放り込むついでに、新鮮な空気を肺いっぱいに吸い込む。

靴を脱ぎスリッパを履く。いくつかの中から清潔そうなものを選ぶのだが、片方の底が剥がれていて底の厚さが違うのが気になる。それも履いているうちに慣れてくるが、今度は、ずっと履き続けていると足の長さが違ってくるのではないか、などと心配してしまう。

廊下はS字になっている。左手に風呂と四畳半の部屋、右手にトイレをみながら進むと、キッチンとダイニング、その左奥に上田さんの部屋が見えてくる。交代の介助者は、すでに帰りの支度を終えて待機している。一秒でも早く帰りたい、といったところだろうか。稀に、私が到着してからようやく帰り支度を始める人もいる。そんな時、私は少し和やかな気分になる。かく言う私も自分が交代のときになると、よほど話が弾んでいない限り、次の介助者が来るまでの時間が待ち遠しく感じられる。

介助者は「お疲れ様でーす」と言いながら、ダイニングで私とすれ違って上田さんの家を後にする。私も「お疲れ様でーす」と言いながら左手の部屋に入り、ベッドの上にいる上田さんに「こんばんはー」ともう一度挨拶をする。

「こんばんゔぁー」

上田さんは、喉の奥から全身で音を絞り出すようにして返事をくれる。私はもう一度「こんばんはー上田さん」と、リュックを置きながら返事をさらに返す。

上田さんは、いつもベッドの右端で右を向いて寝ている。寝返りを打つことはない。体が硬直して動かないのだ。私はその横に折り畳み式の椅子を持ってきて、腰を掛ける。これが介助者と上田さんの基本的な構図である。入院している人と、そのお見舞いに来てベッドの脇に座っている友だちのようなイメージである。

「昨日から急に寒くなりましたねー」、「このあいだ大変だったんですよ」、「先週末○○に行ってきたんですよー」。腰を落ち着けた後は、最近の天気やその週にあったことなど、他愛もない話が始まる。話をしながら、私は介助者の交代で滞っていたiPadの操作の続きを始める。上田さんは自分でiPadを操作することができないので、介助者が上田さんの指示に沿って操作するのだ。iPadは大きなモニターに接続されていて、上田さんはそのモニター越しにiPadの画面を見ることができる。そんなわけで、上田さんの目の前には大きなモニターが置かれている。

上田さんがiPadを見ているときはほとんど話をしない。私たちも、何かをしている最中に人と話をすることはあまりないだろう。会話はその作業の邪魔になってしまう。介助中は上田さんが自分のことをする時間であり、あくまで私は上田さんが何かをすることをサポートするためにいる。私は本を片手にiPadを操作する。たいていFacebookやメール、LINEである。

二〇時頃になると夕食の時間である。近くのスーパーやレストランで出来合いのものを買ってきたり、時々私が冷蔵庫にあるもので作ったりする。私も持ってきた弁当をレンジで温める。その一分三〇秒の間に、上田さんの前にあるモニターをどかして小さなテーブルを代わりに置く。上田さんの顔の下にハンドタオルを敷く。口から溢れた食べ物でベッドが汚れないようにするためである。

「いただきまーす」「いた だ き ます」と言って食べ始める。「何食べますかー」「〇〇がいい」というやりとりを繰り返す。品数が複数のとき〇〇には料理の名前が入り、単品の時には料理に使われている食材の名前が入る。ともかく上田さんの意志を最大限尊重することが重要である。上田さんが希望するものを口に運ぶ。上田さんの口にご飯を入れるとき、毎回思わず自分も口を開けてしまう。次は開けないようにしようと気を付けても、なぜか開いてしまうのだから困ってしまう。

上田さんは手と箸が使えない分、口から溢れそうな食べ物を舌でうまく口に掬い上げていく。だいたい鼻が詰まっているので、呼吸も口でしながら全力で咀嚼する。なので、上田さんの口からは時々おかずが発射されて、運が悪いと私のズボンやシャツに命中する。が、そんなことは一々気にしていられない。上田さんがご飯をもぐもぐと噛んでいる間に、私は自分の箸に持ち替えて、弁当のご飯とおかずを急いで口に詰め込む。食後には、フルーツやお菓子などのデザートがあったりなかったりする。

「ごちそうさまでした」「ご ち そ う さまでした」。皿を下げて弁当を片付ける。皿は流しの中で水に浸けておく。翌朝洗いやすくするためである。下に敷いたハンドタオルで上田さんの口の周りを拭き、洗濯かごに入れる。ついでに外の空気を一服する。

モニターとテーブルを元の位置に戻し、食後の薬を飲む。私が口に八粒の錠剤を一度に入れると、上田さんは水で一気に流し込む。食べるも飲むもすべて寝たまま、顔を横に向けたまま済ませるのだから驚きである。再び上田さんはiPadを見る。私は本を片手にiPadを操作する。

日にもよるが、だいたい二三時半から二四時頃になると、上田さんも私もあくびが出てくる。寝る時間が近づいてきた。「そろそろ書きますか」という一言が寝支度の合図である。

上田さんは寝る前、必ずFacebookに「おやすみなさい」の文章を投稿する。「おやすみなさい」という一言の前に、その日にあったエピソードや上田さんの想いなどが綴られる。自分が地域で生活している、その等身大の姿を仲間に知ってほしいからだという。私も眠気と闘いながら、iPadで上田さんの言葉を入力する。

投稿が完了するとモニターとiPadとiPhoneの電源を切り、テーブルとモニターを部屋の端に寄せる。カーテンを閉め、就寝前の薬を二粒飲む。上田さんは膀胱瘻カテーテルが付いているので、尿はベッド脇に掛けられているビニールのパックに溜まっている。トイレから尿瓶を持ってきてパックに溜まった尿を瓶に移す。寝起きの最初のオシッコのように、濃縮されたアンモニアの匂いが漂う。瓶に適量を移し終えたら、移動中にこぼれないように、丸めたトイレットペーパーで蓋をし、トイレに流しに行く。

パックを空にしなければならないので、多いときは二回往復しなければならない。一度、一往復で終わらせようとしたら、尿瓶の持ち手に尿が流れ込み、そこに空いた穴から尿が漏れ出るという大惨事を引き起こしてしまったことがある。横着は禁物である。

最後に、上田さんが入れ歯をしているときは、それを外して歯ブラシで洗う。私は「今日どこか行ってたんですかー」と尋ねる。上田さんは出掛けたり、お客さんが家に来るとき、入れ歯を入れるのである。見た目というよりも、発音が明瞭になるという。

全て終わると、私は「おやすみなさーい」と声を掛けて部屋の電気を消す。「おやすみなさい」という返事が返ってくる。こうして上田さんは眠りに就く。その後、私は自分の歯を磨き、自分の用を足す。別の部屋の押入れからマットレスと布団を引っ張り出してきて、上田さんのベッドの隣に敷く。その上に広げた寝袋に潜り込み、ようやく眠りに就く。


「おーーーい」

「はーーーい」

と言いながらも、寒さと眠さが合間って、私はまだ寝袋から這い出せずにぐずぐずしている。

「おーーーい」

もう一度、上田さんの声が部屋に響き渡る。もうこれ以上ぐずぐずしているわけにはいかない。仕方なく私は寝袋のチャックを下ろし、重い身体を引き起こす。「おはようございまーす」と言いながらカーテンを開ける。冬の時期、空はすでに明るくなっているが、まだ日は昇っていない。六時半。

眠い目を擦りながら寝袋と布団を仕舞う。ハンドタオルを引き出しから一枚取り出し水に濡らす。レンジで三〇秒チンをして熱すぎて持てなくなったそれを、両手で交互に持ち替えて少し冷ます。額から始め、左目、右目、鼻、頬、口、耳の順番に、適度に冷めて温かいタオルで顔を拭いていく。上田さんは特に目やにが溜まりやすいため、少し強めに拭いてしっかりと綺麗にする。目やにが接着剤のように瞼をくっ付けて、上田さんの目が開かないのだ。特に左目。

顔を拭いた後は寝起きの一杯である。たいていはお茶だが、他にも青汁や飲むヨーグルトがあるときもある。私は台所の流しで顔を洗い、口をゆすぐ。たまに少し生ゴミの臭いがする。そんなときは息を止めて顔を洗う。モニターとテーブルをセットし、iPad と iPhone、モニターの電源を付ける。私は本を片手に iPad を操作する。

「そろそろ食べますか」と上田さんが私に声を掛ける。七時半を過ぎるといつも朝食の時間である。メニューは必ずトースト一枚。冷凍されたトーストをトースターにセットする。いつも通り、上田さんの口の下にハンドタオルを敷いて、トッピングを冷蔵庫から出す。上田さんのお気に入りのトッピングはスモークサーモン。毎日のちょっとした贅沢である。ハムやベーコン、ジャムや苺バターなんてこともある。一度は、乗せるものが何もないことに朝気付き、慌ててバナナをソテーしたこともあった。焼き上がったトーストにトッピングを乗せ、六等分して一口サイズにする。それをさらに二つ折りにして、箸で上田さんの口に運んでいく。上田さんは実に美味しそうにそれを食べる。その間にお湯を沸かして濃い目のお茶を入れておく。苦いほど濃くないと気合いが入らないのだそう。食後の果物はその時々のお財布事情による。

　食後の薬は毎回欠かせない。朝も例外ではなく、上田さんはまた八錠ほどの飲み薬を一気に水で流し込む。加えて水曜日の朝は座薬を入れなければならない。まず上田さんの掛け布団をどかし、パンツを脱がせる。縦三〇センチ、横六〇センチほどの長方形のオムツ素材のシートを尻の下に敷く。次に、冷蔵庫に入っている小瓶から座薬をひとつ取り出す。子どもの小指大ほどの大きさで先のほうが円錐形になっており、全体的にロケットのような形をしている。ビニール手袋をはめた手で、オリブ油というオリーブオイルのような潤滑油をそれに塗る。準備完了。それを上田さんの肛門から入れ、中指で奥まで押し込む。固形物を指先に感じる。その状態で一分ほど待つ。上田さんの体温が熱いほどに伝わってくる。最初に指示されたときはさすがに少し躊躇いを感じたが、慣れとは怖いものである。最後に、腰の上からもう一枚パンツ素材のシートを被せ、上下からシートで尻を包む。外側に触れないように注意深くビニール手袋を外し、左手の人差し指にまだ残る感触と体温を冷たい水道水で洗い流す。

　そのまま、シンクにたまった皿を洗う。日によっては、洗濯物を取り込み畳んで仕舞うこともある。一通り終わると、勤務時間が終わる九時までの間、また iPad を操作する。交代の介助者さんが来る前に出勤簿の記入を済ませ、帰りの支度を終わらせる。ピンポーンとインターホンが鳴る。ドアが開き、「おはようございまーす」と言いながら交代の介助者さんが入ってくる。

「来ましたね、ではまた来週よろしくお願いしまーす！　お疲れ様でした！」

「ありがとーう」

私は立ち上がり、「お疲れ様でーす」と介助者さんと上田さんに改めて挨拶をし、上田さんの家を後にする。こうして、多くの人が出勤している電車で、私は帰路に着く。

私と上田さんの、週に一度の日常である。もう何度、同じことを繰り返してきたのだろうか。

はじめまして

上田要《もとむ》さんと出会ったのは三年ほど前、冬の足音が聞こえてくるほど寒さの厳しくなった晩秋のある夜だった。道中、吹く風が枯葉をさらい、軽やかな乾いた音を辺りに散らしていた。西陽が差し込む歩道を、私は肩をすぼめ、両手をダウンのポケットに押し込んで足早に歩いていた。向かう先に知り合いもおらず、上映される映画のこともよく知らなかったことも、余計に私の肩を小さくしていたのかもしれない。

なぜなのかは、今でもよくわからない。ふと興味を持ち、『さようならＣＰ』（原一男監督、一九七二年）という映画の上映会に行ったのだった。会場に着いてみると、運営の人も観客の人も互いに知り合いが多かったようで、和気あいあいとした雰囲気だった。ある地区の公民館の一部屋を借りてプロジェクターでスクリーンに映すという、こじんまりとした親しみやすい会だった。私はひとりで後方の席に座り、映画が始まるのを待っていた。

私は「CP」とは何なのか、全く知らなかった。それどころか映画の趣旨さえ、ほとんど知らなかった。わかっていたのはただ、「障害者」を描いたドキュメンタリーということだけだった。振り返ってみれば、「障害者」についての知識もイメージも貧相なものであった。ハンディキャップを抱えた人々、くらいの理解であっただろうか。

当然映画のメッセージなど理解できるはずもなかった。膝をついて正座のままいざり歩きで横断歩道や電車を歩く人々、部屋で飛び交う聞き取りづらい怒号のような言葉の数々……。正直わけがわからなかった。けれども目の前のスクリーンに映し出されたそれらの映像は、私の心を捉えて離さなかった。彼らは全身全霊で、自らの存在を訴えかけてきていた。

加えて衝撃的だったのが次の一節である。「我らは愛と正義を否定する」、そして「われらは問題解決の路を選ばない」。それは、上映会の参加者に配られた「青い芝の会」の行動綱領に書いてあった一文である。どういう意味なのか、なぜ彼らはここまで言うのか、何も知らない当時の私にはわからなかった。

果たして今はわかっているのだろうか、心許ない。敢えてここで説明してみようとも思わない。きっとこれらは論理の前にまず、からだごと関わって、全身で理解するものなのだろう。

　とにかく当時の私にとって、わからないものは聞くしかない。聞くは一時の恥、聞かぬは一生の恥、である。そうして映画終了後、脳性麻痺を抱えた当事者として登壇されていた方に、直接尋ねに行ったのだった。その方が、上田さんだった。

「お伺いしたいことがあるのですが」と、建物を後にしようとしていた上田さんに少し緊張しながら声を掛けたのを、今でも覚えている。辺りはもうすっかり暗くなり、来た時よりもさらに冷え込んでいた。私の記憶では、上田さんはその場ではっきり質問に答えてくれなかった。

　他にどのような話をしたのだろうか、気付けばスタッフの方々が会場の片付けを終えて帰るところだった。そろそろ帰りますか、ということで会場から駅まで一緒に帰ることになった。秋も終わる寒い夜に、それほど長い時間、立ち話に付き合っていただいたのだった(上田さんは車椅子である)。

　結局最後まで、私の質問に上田さんが答えてくれることなかった。あるいは簡単に口で説明できるようなものでもなかったのかもしれない。その代わり、なのかはわからないが、別れ際に「もしよかったら僕の介助をやってみないかい」と声を掛けてくれた。今も変わらない調子の良い、朗らかな声であった。

「ぼくでいいんですか」と思わず聞き返してしまった。介助など福祉の仕事は、きちんと専門的な教育を受け、資格を取った人がする仕事であると思っていたのである。しかし、すかさずこう付け加えた。「でも、もしぼくでよければやってみたいです」。

これが、私の「障害者」との初めての出会いであった。

自立生活の介助、トラブルとコンフリクトについて

こうして私は上田さん介助を行うことになった。NPO法人レイで介助に関する座学と実技から成る二日間の研修を受け、「重度訪問介護従業者」という資格を取った。それから上田さんと一緒にNPO法人HANDS世田谷で、上田さんの専属として介助者登録をした。

以来、だいたい週一回、主に火曜日の一九時から翌朝の九時まで一四時間、私はHANDS世田谷から派遣される形で上田さんの介助を担当してきた。上田さんの場合、一日二四時間が、一九時～翌朝九時の一四時間、九時～一九時の一〇時間に分けられており、それぞれの介助者がそれらの時間帯の介助を受け持ち、入れ替わり立ち替わり担当することになる。この区分は、それぞれの事業所や利用者、または曜日などによって決められる。

介助内容は、炊事、洗濯、掃除、排泄、移動、買い物など生活全般に渡る。「重度訪問介護」とは、障害者総合支援法第五条に規定されていて、「重度の肢体不自由者その他の

障害者であって常時介護を要するもの」に「供与する」もので、厚生労働省の二〇〇九年の「留意事項通知」では以下のように記されている。

比較的長時間にわたり、日常生活に生じる様々な介護の事態に対応するための見守り等の支援とともに、食事や排せつ等の身体介護、調理や洗濯等の家事援助、コミュニケーション支援や家電製品等の操作等の援助及び外出時における移動中の介護が、総合的かつ断続的に提供されるような支援をいうものである。

つまり、家事などの基本的なことから家電の操作に至るまで、日常生活に関わるあらゆることを長時間付き添いサポートするというものである。先に述べたように、お腹の調子が悪い時は肛門から座薬を入れることもある。寝起きの一杯に青汁を作ることもあれば、翌日の朝食のためにヨーグルトやパンを買いに行くこともある。臨機応変に、その時の状況に応じて必要なことをすることが重要なのである。また必要なことは「障害」の程度にもよる。その人のできること、できないことによるため、介助内容は様々異なるということである。

上田さんの場合、首から下が全く動かず、家では寝たきりで、移動に使う車椅子も手動であるため、介助内容は多岐に渡る。なお、風呂は週に三回の訪問看護の際、看護師に入れてもらっているため、私は風呂の介助をしたことがない。

このように、「障害者」が家族のもとや施設を出て、地域で生活することを自立生活という。上田さんは現在、二四時間介助者を入れて自立生活を行なっている。なぜ障害者の自立生活に関わる人々は、厚労省の使う「介護」ではなく、「介助」という言葉を使うのか。それは、「介護」という言葉には、弱者を「護る」という意味が含まれているからである。そもそも「障害者」たちが地域で生活し始めたのは、「護られるべき弱者」として家族や施設に囲い込まれることへの反発であり、抵抗であった。そうした意味を込めて「介助」という言葉を使うのである。

言い換えれば、自立生活はその始まりから、「介助される人」と「介助する人」という明確な立場の差異のある両者が、対等な関係を築き、地域で生活していくことを志向している。だからこそ、「護る—護られる」という非対称的な関係の「介護」ではあえて問われることのない問題や困難が、「介助」では問われることになる。

実は冒頭の「週に一度の日常」で描いた場面の至る所にも、これらの様々な問題と、その解消の試みが散りばめられていた。

例えば、尿をパックから尿瓶に移してトイレに流すときに漂う、「寝起きの最初のオシッこのように、濃縮されたアンモニアの匂い」はいつまで経っても慣れない。あるいは上田さんの排便を促すために浣腸をするときの一連の流れ。「上田さんの肛門から入れ、中指で奥まで押し込む。固形物を指先に感じる。その状態で一分ほど待つ。上田さんの体温が熱いほどに伝わってくる」。慣れない最初のうちは、強い不快感、嫌悪感を抱いたものだった。しかしこうした不快感や嫌悪感をどうすればいいのだろうか。はっきりしているのは、ただ、やるべきことをやるだけ、ということである。

社会学者の岡原正幸は、対等な関係を志向する介助においてこそ表面化する問題を、「意思決定をめぐるトラブル」と「身体・感情をめぐるトラブル」の二つに大別する。岡原によれば、ここで起きていることは「身体・感情をめぐるトラブル」であり、「社会的文化的に共有されている身体規則」を侵犯するがゆえの様々な感情（ここでは不快感や嫌悪感）である。しかしそれらの感情は、「感情規範」によって「統制され、自然な発露を得られない」。このような難しさが介助には常に付きまとう。

では「意思決定をめぐるトラブル」とはなにか。

「空気でも入れ替えませんか」と私が声を掛けたときの、窓を開けるか否かの攻防。あるいは、食事のとき、何をどのように作るのか、何をどの順番でどのように食べるのか。あるいはまた、どこかに出掛けたとき、目的地にどのように行くのか、どの道を通り、どの電車やバスに乗っていくのかという問題がこれに当たる。「介助される人」はどこまで意思決定し、「介助する人」はどこまで介入していいのか。

こうした問題は、「どのように行うのか」をめぐって生じやすい。なぜなら、主たる目的は言語化しやすく、その決定権は自立生活の主体である「障害者」にあるということを、「障害者」も介助者も合意しているからである。一方で、身体のくせや手順といった具体的なやり方や配慮の部分は言葉にしづらい。そういう部分では「障害者」と介助者のあいだで行き違いが生じやすいのである。

ではどのように、こうした問題を乗り越えていくことができるのだろうか。岡原は、理念的方法、経済的方法、感情的方法の三つを挙げている。

理念的方法とは、例えば「介助する人」が自らを「介助される人」の手足だと考え、問題を解決する方法である。食事の際に「ともかく上田さんの意志を最大限尊重」し、「上田さんが希望するものを口に運ぶ」と考える。私が上田さんに何を食べてほしいと思うかは、ひとまず脇に置いておくのである。介助者は「介助される人の手足である」という理念のために、自らの感情や意思を可能な限り消し去る。「障害者」も、介助者を手足とみなすことによって、「やってもらっている」という負い目を軽減することができる。

つぎに経済的方法とは、簡単に言えば、お金で割り切るということである。介助の時間に対しては時給が発生していた。私はボランティアではなくアルバイトとして介助に入っていた。だから毎週欠かさず上田さんの自宅に通い、一夜を過ごし、不快感や嫌悪感にも耐えられた、という側面もある。「障害者」も、介助者を雇うことによって、負い目を感じずに済むということや、介助の量と質を安定させることができる。

そして感情的方法とは、友人や恋人、はたまた夫婦など、介助という関係以外に、親密で安定した関係を築く方法である。親密な関係性ゆえに理解できることも多い。例えば苦いほどのお茶を入れるのも、理由を知らなければ不可解だが、「苦いほど濃くないと気合いが入らない」ということを知っていれば、なるほどと納得できる。眠い中、わざわざFacebookの投稿などしなくてもいいではないか、とイライラを感じてしまっても、「自分が地域で生活している、その等身大の姿を仲間に知ってほしい」という上田さんの想いを知っていることで、なんとか眠気と戦うことができるのである。このような、一見不可解な、あるいは不快な介助の理由を知ることで、自分の介助行為を納得することができる。友人のような親密な関係が介助の安定を導いていると言えるだろう。

しかし、これらの方法は万能ではない。なぜなら、介助者自身の感情や意思を、理念や金銭によって完全に消し去ることはできないし、親密な関係によって十分に納得させることも容易ではないからである。

　これらの方法で問題を解決することができないとき、私は上田さんと直接話をしていた。「なぜこれをするんですか？」と尋ねることもあれば、「こうしたほうがいいんじゃないですか？」と提案することもあった。逆に「いや、そうじゃなくて、こうしてほしい」と上田さんから修正されることもあった。その場合、私と上田さんはたいてい話し合った。お互いに納得した結論に基づいて、介助という名の共同作業をしていった。

　加えて、私は問題が生じることを避けるため、できるだけ上田さんに詳しく質問していた。例えば、野菜はどんな形でどのくらいの大きさで切るのか、どのくらい火を通すのか、塩加減はどのくらいか。食事のときに繰り広げられる『何食べますかー』『〇〇がいい』というやりとりを繰り返す。品数が複数のとき〇〇には料理の名前が入り、単品の時には料理に使われている食材の名前が入る」という細かすぎるやりとりも、どの順番で何を食べるのか、という問題において行き違いを生まないためだったのである。

　このような対話（時には対立となる）によって問題を乗り越える方法を、岡原は「コンフリクト」と呼ぶ。両者の差異を明確化し、非対称的な関係を崩していく「コンフリクト」こそが、最終的に問題を乗り越える契機となると、岡原は言うのである。

　「コンフリクト」が重要なのは、問題を乗り越える契機となるから、というだけではない。問題そのものを表面化する契機にもなるからである。そもそも「介助される人」と「介助する人」の両者は立場の明確な差異があるがゆえに、「できる人ができない人にしてあげる」という「介護」の形式に陥りやすく、この非対称的な関係が、両者に配慮や遠慮を生み、上述したような感情や意思決定上の問題を先送りしてしまうことが多々あるのである。こうして先送りされる問題は溜まり溜まって、最後に取り返しのつかない大爆発を起こす。そうならないためにも「コンフリクト」が重要なのである。

ちなみに私は、上田さんと「コンフリクト」なるぶつかり合いをしたことはない。それは上田さんの温厚な性格によるところも多々あると思われるが。とりあえず、「コンフリクト」は少し派手な気がするので、ここでは「対話」くらいにとどめておきたい。

しかし、たとえこれらの問題を「対話」によって乗り越えていっても、自立生活を営む「障害者」と介助者には、さらなる問題が待ち受けている。それは、「世間のまなざし」である。

「障害者」は地域生活において、往々にしてマイナスの方向へと排除される。上田さんが車椅子に乗っている、私がそれを押している、その様子を珍しそうに眺められたことは一度や二度ではない。スペースの限られる歩道や電車内で、大きな車椅子が疎んじられることもよくある。

介助者にも、世間のまなざしは向けられる。「アルバイト何してるの?」と聞かれ、大学生だった私が「障害者の自立生活の介助をしています」と答えるたびに、「偉いね、すごいね」と返されるのがお決まりである。「障害者」のマイナスの方向への排除とは逆に、プラスの方向へと排除されるのである。

障害者と介助者の関係性が問われることもある。

世間のまなざしは、対話を通じてようやく達成された自立生活における「障害者」と介助者の対等性を、容易に「介護される客体」と「介護する主体」という非対称性へと再び解体してしまう。

例えば、お店で何かを買うとき、あるいは街中で何かを尋ねるとき、やりとりをする相手はたいてい上田さんではなく、介助者である私に向かって言葉を投げかけてくる。おそらくそれは、自分と同じ「健常者」である私とのやりとりは可能だが、自分と異なる「障害者」とのやりとりは困難であると思っているからだろう。このとき、その場から上田さんの声や意志は消し去られ、「護られるべき弱者」として背後に追いやられてしまう。

だから介助中、街中で誰かに言葉を投げかけられたら、「いやいや、私じゃなくて」と、私は上田さんに話すように促す（もちろん上田さんではなく私に用がある場合は別だが）。すると相手は何かに気が付いたように、はっとして膝を屈め、車椅子に座っている上田さんに話しかけ始める。そして上田さんの聞き取りづらい言葉を何とか聞き分けようと耳を傾ける。ここでも「対話」が必要なのである。

すなわち、自立生活において、「障害者」と介助者のあいだ、両者と世間のあいだ、いくつもの「あいだ」において、様々な場面で「対話」が繰り返されてはじめて、「障害者」と「健常者」の非対称的な関係が崩れ、両者の対等な関係が達成されるのだろう。「対話」が繰り返されてはじめて、自立生活が自立生活たりうる、ということでもあるのだろうか。

あらためまして

介助の場面で顔を覗かせる様々な問題と、それを乗り越えるための「対話」。もっとも私は、このようなことを考えて毎週の介助を行っていたわけではない。あとから振り返ってみると、以上のようにまとめることができる、ということである。

むしろ、週に一度介助に入る私にとっては、「対話」よりも「会話」が楽しみだった。「会話」が生まれるのは、何もすることがないときである。何もすることがないとき、問題も大人しく首を引っ込めている。

そんな時間が、少なくとも上田さんの夜の介助の際には、結構あった。介助の間、夜中の〇時半から六時半頃まで六時間ほどは寝るとしても、残りは八時間。その間に生活全般の介助をするわけであるが、八時間も常に忙しいほど、介助することがたくさんあるわけではない。

　一通り家事が済むと、私は本を片手に、横になっている上田さんのベッドの傍に座り、上田さんが iPad を見るのを手伝う。例えば Facebook やニュースアプリ、Google 検索したりするのを手伝う。上田さんが画面を見ながら声で指示を出し、私は本を読みながら iPad を操作するのである。これも立派な介助のひとつである（本を読みながらというのは、立派とは言えないかもしれない）。

　しかし上田さんも次第に iPad に飽きてくる。Facebook やニュースもほとんど全部見終わってしまい、メールや LINE などの新しい通知が来ないような時は特にそうである。こんなとき、お互いに交互に好きな音楽を流してみたりする。上田さんはレコードプレーヤーを買ってしまうほどの音楽好きで、以前はよくレコードを引っ張り出しては一緒に聴いていた。

　あるいは思い出話をする。とは言っても思い出の厚みが違う。私はたかだか二〇年を少し過ぎたくらいだが、上田さんは七〇年なのだ。たいていの場合は上田さんが思い出話をし、私は相槌を打ちながら耳を傾け、時折質問をしたりする。

　八百屋の配達のために電動車椅子で奔走したこと、親しい介助者の結婚式に上司として出席したこと、その子どもが生まれた時に思わず「孫だ！」と叫んだら、以来本当に孫となったこと、フィリピンまで演劇をしに行ったこと、ノンステップバスの視察のために北欧を回ったことなど……。思い出話には上田さんの様々な想いが詰まっていて、私は毎週の介助の度に少しずつそれらに触れていった。

しかし、それらのエピソードはいずれも断片的なもので、わからないことも多かった。例えば、なぜ上田さんは「孫」と叫んだのか。なぜノンステップバス視察のためにわざわざ北欧まで行ったのか。なぜ演劇にのめり込み、フィリピンまで行ったのか……。

私は次第に上田さんの人生の歴史を聴いていきたいと思うようになった。それは、より深く上田さんのことを知りたいという個人的な興味関心だった。つまり、上田要というあるひとりの「障害者」が、七〇年間という歳月を、何を感じ考え、どのように生きてきたのかという問いである。

あるとき上田さんに、卒業論文で上田さんのライフヒストリーをテーマにさせてもらえないだろうかとお願いした。七〇歳を過ぎ、上田さんも自身のこれまでの人生を文章としてまとめたいと思っているということもちらっと耳にしていた。もしかするとそれは私の空耳だったのかもしれないが、上田さんは私の突拍子もないお願いを快諾してくださった。

語りが生まれる瞬間は、質量や大きさを持たないただの点なのではない。その瞬間には、重さも、長さもある。生活史の聞き取りには、実は、最初に発せられるひとことの質問へと至る、ながいながい助走が存在する。

（岸政彦『マンゴーと手榴弾』四〇頁）

出会ってから二年以上にもわたるながいながい助走があった。こうして二〇一八年一〇月末、最初のインタビューを行うために、私は上田さんの自宅へと向かった。

潜り始める直前のひと息 ―― 語りはじめ

上田さんの住むマンションの三階まで階段で上がり、左手の外廊下を一番奥まで進む。ここまでは普段の出勤と変わらない。けれども、そのままドアを開けることはしない。きちんとドアの左側にあるベルを鳴らし、上田さんの介助者がドアを開けてくれるのを待つ。毎週火曜日に来るときは勝手にドアを開けて入るのだが、今日は介助者としてではなく、友人として、お客さんとして、あるいは聴き手として、来ているのだから。

はーい、という声とともに介助者がドアを開けてくれる。お待ちしていました、と満面の笑みを浮かべている。私は、お邪魔しまーす、と言って玄関に入り、靴を脱ぎ、スリッパに履き替える。スタスタ歩いていくと、奥の部屋にはいつもの通り、上田さんがベッドの上で横になっている。介助者はダイニングの椅子に腰を掛けており、ベッドの前の椅子は空けられている。

「お邪魔しまーす」

もう一度上田さんに挨拶をすると、にっこりとした笑顔とともに、どうもー、と返してくれる。いつもと変わらない上田さんの表情に、私はちょっと安心して椅子に座る。上田さんは少しでも私が聞き取りやすく話せるようにと、入れ歯を付けてくれていた。

「今日は午前中何してたんですか?」

「今日はね、〇〇に行ってたんですよー」

他愛のない会話から始まった。なんだか、いきなり人生の話を始めるのは突拍子がなく、気まずいような気がして躊躇われたのだった。結局、どのタイミングでインタビューの話を切り出したらいいのかわからず、三〇分ほども雑談をしてしまった。

ふと、会話が途切れた。

「そろそろ始めますかー」

上田さんが切り出してくれた。そうですね、と私は姿勢を正しiPhoneの録音アプリを起動させる。画面の左上を見てみると充電の残りがわずかで、インタビューの最後まで持ちそうになかった。あー、すいません、充電させてください、と言いながら、人様の電気をいただく失態を上田さんは笑いながら許してくれた。ようやくすべての準備が整った。大きく息を吸い込む。

「お願いします」

私が合図の声を掛けると、上田さんはその時を待ち構えていたかのように語り始めた。

では、上田要の歴史をつまびらかに明かします。ちょっといろいろ訳あって、他の人たちとの共通項があるかないか微妙なので、とりあえず語っておきます。

おばあちゃんと上田さん（5 歳）

II ある障害者の生活史

0 生まれるまで

勝手に家を出て、突然帰ってくる

上田要《もとむ》ですが、生まれた年は昭和二三年、西暦で言うと一九四八年八月四日の生まれです。

うちの家というのが上田家の総本家でした。今僕しか知らないと思うのですが、僕で九代目なんですよ。九代前の人は「前田」っていう家のそばにあったんだけど、前田っていう家から、坂のちょっと上の方に分家したらしくて、だからそれで「上前田」と、そういう名前で名乗っていたらしいんですが、途中で面倒臭くなって「上田」にしたという話を、おばあちゃんから聞きました。

広島県佐伯郡（現在の広島県江田島市）能美町中町という場所で、上田さんはその産声をあげた。江田島は、広島湾の沖合五キロほどに位置する、人口約二万人ほどの島である。広島・長崎に原爆が投下され、太平洋戦争が終わった三年目だった。

家の常識から言えば長男がいわゆる後継ぎで、お墓とか含めていろいろ守っていくというのが常識だったみたいですけど、僕の親父っていうのが、市蔵って言うんですけど、勝手に家を出ちゃったんです。

父親は家を出ると、呉市にあった海軍の工廠に就職した後、のちに上田さんの母親となる女性と結婚した。その後、東京の海軍省に配属され、蒲田へ移り住んだ。両親は子ども好きだったが、なかなか子どもができなかったこともあり、近所のひとり娘を預かっていた。その子のお母さんが長らく体調がすぐれず亡くなってしまったので、預かっていた娘を養女として迎え入れた。上田さんの姉である。

そうこうしているうちに太平洋戦争が始まった。父親は戦争に二回駆り出された。戦場で右足を負傷し、一度帰国したのちに再び召集されたのだった。

東京大空襲があって、危なくなったんで、親父は戦争に行っちゃってるもんだから、母親と姉の二人が、（父親を）一回捨てたっていう言い方は悪かったけど、実家に帰りました。母親の実家も同じ場所で。実は両親はいとこだったので。いとこ同士で結婚したんです。それもあって帰ってきたんだと思うんですけど。

一九四五年八月六日に原爆が落とされて、一五日に太平洋戦争が終わりを迎えた。原爆投下の地点から離れていたこともあり、双方の実家には原爆の直接的な被害はなかった。しかし、

伯母が——母の兄弟の長女だった人が、原爆が落ちた場所の近くに住んでたのよ。家が潰されて、伯母がその下敷きになってたの。それを伯母の旦那が名前を呼びながら探し歩いて、ようやく下敷きになったのを見つけて引っ張り出して難を逃れたと。ただその被爆した空気を散々吸ったのが、伯父だったのね。だから下敷きになった伯母は元気だったのが、八〇いくつまで生きたかな。ただ、伯父の方は原爆症になって二年後（上田さんが生まれる一年前）に亡くなったの。（上田さんの）家に来ててさ、家で亡くなったって、そういう話もあってさ。

（原爆が落ちて）二日後くらいに俺の母親が姉を訪ねて市内をうろついたらしいんですよ。落ちて三日間の間に広島市内に入ったら、被爆者の認定を受けることになってたのね。なので母親は被爆手帳を持ってました。

親父の妹の息子、俺とはいとこだけど、ちょうど夏休みだったにも関わらず、田舎にいればよかったんだけど、広島市内に下宿してててね、ちょうどあの日（原爆投下の日）に下

宿先に帰ってたの。（彼が）被爆して、すぐ両親は飛んで行ったみたいだけど、遺骨もなくて、腸のかけら、多分大腸だったかな、しか残ってなかったんだって、そういう話まで聞かされてたわけですよ。

このように上田家は、決して平穏とは言えない形で終戦を迎えた。それに加え、父親はシベリアに抑留され、二年ほど帰ってこなかった。母親は、夫を待ちながら実家で暮らしていた。

父は一年半くらい抑留されて（東京に）帰ってきたら、もちろん海軍省なんかない、仕事がなくなっちゃったのね。仕方なく妻も子もいる田舎に帰ってきたわけですよ。田舎にいるのが嫌で出てったはずなんだけど、仕事がなくなったってこともあったりいろいろあって、いきなりここの家を継ぐと言い出したんです。

僕の祖父、おじいちゃんは終戦の年に亡くなったのね。だからおばあちゃんが、俺の祖母が、勝手に出てった長男が帰って来ると思わなかったわけですよ。一番末っ子の男の子がいたんで、その人に継がせようと思ってたわけですよ。そしたらいきなり、出てった長男が勝手に帰ってきたということで、大紛争が起こってですね。養女としてもらった姉も田舎に無断で養女にしちゃったみたいで、そういうこともあってですね、無茶言うんじゃねえよって話になって、いろいろ親戚も巻き込んでしまって。

「後継ぎ」として「この体」で生まれる

その結果、「じゃあお前らに男の子が生まれたら認める」という話になっちゃったのね。両親は、特に親父は意地の塊になって、と本人は言ってないと思うんだけど、今から考えたら意地でしかない。ということで結婚して一八年間子どもが生まれてなかったのに、無理に作っちゃったのね。で、生まれてきたのが俺なの。

いわば、上田さんは後継ぎとして、一家の期待を一身に背負って生まれてきたのであった。父親四六歳、母親三八歳で、高齢出産だった。両親はもちろんのこと、祖母も親戚も一同大喜びのはずだった。

大喜びで生まれてきたはずなのに、すごい難産だったらしくて、一日くらい遅れたらしいんですよ。生まれる予定日から。鉗子分娩《かんしぶんべん》ってわかります？　要するに生まれるときに出にくかった場合、ピンセットみたいなもの、でかいピンセットだと思ってもらえればいい、もちろんラバーかなんかに挟んだもんだと思うんだけど、両方のこめかみを挟んで引っ張り出すっていう方法だったのね。それをやられたんだけど、僕の場合は後頭部と右の目の上に引っ掛けられて、引っ張り出されたらしくて。

それが原因だったのか、あるいは、難産で出て来るのが遅かったので、酸素不足になって、それが原因なのか、どっちが原因なのかわかんないけど、生まれて生後一週間で高熱出して、熱が冷めてみたら、この体になっていたという、そういう状況でした。……周りの人たちも当然がっかりするよね。上田家の長男として生まれて、やったーと思ったら不自由な体で生まれてきたということ。みんなにショックを与えたという。ショックを与える上田要の始まりですっていう（笑）。

「この体」とは、脳性麻痺という障害を抱えた体のことである。現在、日本において一般的に参照される、一九六八年の厚生省の研究班会議の定義によれば、脳性麻痺とは以下の通りである。

受胎から新生児期（生後四週間以内）までの間に生じた脳の非進行性病変に基づく永続的なしかし変化しうる運動および姿勢の異常である。その症状は満二歳までには発現する。進行性疾患や一過性運動障害または将来正常化するであろうと思われる運動発達遅延は除外する。

上田さんは「この体」になったことによって、期待された後継ぎとしての役割を果たすことが困難になった。上田さんがみんなに与えたショックとは、後継ぎとしての長男への期待の裏返しなのであった。

笑いで締めくくる

ところで、広辞苑第七版には、次のようにある。ショック【shock】①急に加わる強い打撃。衝撃。②予期しないことに出会ったときの心の動揺。心理的衝撃。「—を受ける」。ここで上田さんが使っているショックは①の物理的な打撃や衝撃ではない。②の心理的衝撃のことである。

そして先の、自らの誕生についての上田さんの語り。

上田家の長男として生まれて、やったーと思ったら不自由な体で生まれてきたということ。みんなにショックを与えたという。ショックを与える上田要の始まりですっていう（笑）。

おや、と思うのではないだろうか。「始まり」とはどういうことだろうか。ショックを与えることは笑えることなのか。なぜショックを与えることが笑いで締めくくられるのだろうか。

実際、上田さんはよく笑う。インタビューの途中でも何度も笑っていた。それは、例えば自分がお見合いに何の問題もなく失敗した話であったり、リハビリに励んだ結果両手と腰から下の感覚がなくなった話であったりした。

このようなネガティブなものに対しての笑いとは、歯を食いしばって耐える「被害者」でも闘いを挑む「抵抗者」でもない第三の選択肢であると、社会学者の岸政彦は述べている。

どうしても逃れられない運命のただ中でふと漏らされる、不謹慎な笑いは、人間の自由のというものの、ひとつの象徴的なあらわれである。そしてそういう自由は、被害者の苦しみのなかにも、抵抗する者の勇気ある闘いのなかにも存在する。

（『断片的なものの社会学』一〇一頁）

上田さんの笑いもまた、「障害者」であり「被害者」であり「抵抗者」でもありつつ、それらの枠に収まることのない人間「上田要」の自由の表現なのではないだろうか。上田さんは様々な経験を経て、今の地点へと辿り着いたのだろう。

というのも三五年前、上田さんが三八歳の時、ある冊子にこんなことを記している。

「おとうさん　ボクが生まれたとき　なにを思ったのですか……」安倍さんから最初この詩を見せられたとき、正直言ってギクっとした。と、同時に、障害者自身がこういう詩を公表しようとする時代に、いよいよなったのかとしみじみ思わされた。（略）障害者の大多数が、多かれ少なかれいだいている気持ちではないか。が、これをいってしまったら、自分自身の存在をも問い返さざるをえなくなる。まさに「危険なことば」である。その危険な詩を、あえて出してきた安倍さんに、私は共感をおぼえた。だから歌いたかった。でも、やっぱり歌えなかった。（略）いま思い返してみると、私が親に対してそれだけ覚悟して歌おうとしていたのかというと、どうもあやしくなってくる。まだ私には、この詩を歌う資格などないのかもしれない。いつになったらその資格が得られるのか……

（『感じて いのち　今伝えたい 1984.6.12 世田谷命の根コンサート報告集』八七頁）

その歌えなかった詩というのは、次のものである。

ボクが生まれたとき……

詩　安倍美知子※1

おとうさん　ボクが生まれたとき　なにを　思ったのですか
おかあさん　ぼくのすがたが　なぜ　かなしかったのですか
気がつけば　ぼくたちは　オリのなか　じゅうはちのいのちが　とじこめられてないている
ひとつひとつの ちいさなれきし　かかえながら
おとうさん　ぼくが生まれたこと　いけなかったのですか
おかあさん　ぼくがかくれているから　しあわせになれるのですか
気がつけば　ぼくたちは　ハコのなか　じゅうはちの　いのちが　それでもしっかりいきづいていた
ひとりひとりの　ちいさなさけび　つづけながら
おとうさん　ボクの目を　みつめてくれたことありますか
おかあさん　ボクをその手で　だいてくれたことありますか
おしえてください　ボクたちはなぜ　ここにいるのですか　おしえてください
ボクたちなぜ　ここに　いるのですか

（『感じて いのち』二一二頁）

上田さんは三五年前、歌えなかったのだ。いや、歌う資格などないと感じたのだった。「ボクが生まれたとき……」という「危険なことば」を。それを今、上田さんは笑いで締めくくる。

なぜ上田さんは、以前は語り得なかった自らの誕生を、笑いで締めくくることができるようになったのだろうか。笑いとは自由の表現であると述べた。次のように言い換えてもいいだろう。上田さんはどのように自由を得たのだろうか。そこからは、一体何が見えているのだろうか。上田さんは今、どのように世界を眺めているのだろうか。

※1　安倍美知子さん：世田谷で二四時間介助者を入れた自立生活を続け、エッセイや詩集も出版。小佐野彰さんの伴侶。二〇一四年没。上田さん「『太陽の市場』で出会った仲間の一人でした。「安倍帆立」というペンネームで、いろんな詩を書いた方でもあり、世田谷の障害者運動の一つの顔だったような存在でした。」

1　おおっぴらにしちゃった

近所の友だちと遊ぶ

その当時（一九五〇年初めの日本では）どういう障害なのかもわからなくて、三歳の時に初めて岡山医大に行って調べてもらったら、脳性麻痺っていう言葉がなくてね、一八六〇年かなんかにフランスの医学者でリットルさんっていう人が発見したということで、「リットル氏病※2」という名前で呼ばれてました。この子はもうそういう病気、当時病気っていう言い方たぶんしてたと思うんだけど、一生この体で生きていかなければいけない、というふうに宣告されたのね。（両親は）意気消沈したと思うんだけど、いろいろ悩んだと思うけど。

当時の障害を持った子どもたちの状況というか、障害を持った子どもが生まれた場合は、精神障害も含めて、いわゆる恥だと、恥っていう存在なのね。だからひどい場合は、檻を作って、ひとつの部屋に押し込めて出られないようにして、大方の家ではその障害を持った子どもは存在しないことになるわけですよ。

一九五〇年代当時の政府も障害を恥とみなす傾向にあった。杉本章は「障害者運動史」の視点から以下のように指摘する。

「障害」を本来あってはならないもの、忌むべきものとしつつ、「更生」可能な者に対しては訓練・指導を、そして、その望みが薄い者に対しては「発生予防」と「隔離収容」が施策の基本的な考え方であったと言えます。

（『障害者はどう生きてきたか』五九頁）

一九五六年版厚生白書※3では、身体障害者について「人間をおそう不幸の中でもきわめて深刻なものの一つ」としている。

上田さんの両親はおそらく、何よりもまず我が子であり上田家の長男であるという気持ちと、もう一方で「障害」のある子どもを持つことへの恥の気持ちがあったのだろう。その狭間で意気消沈し、いろいろ悩んだのだろう。

僕もそういうこと（存在しないこと）になってもおかしくなかったはずなんだけど、……多分、上田家の長男として生まれた以上は、みんなに認めてほしいみたいなところあったんだと思うんだけど、おおっぴらにしちゃったのね。まさに団塊の世代だからさ、近所というか、周りに同年代の子どもたちが結構多かったんだよね。どこでもそうだけど。周りの子たちをうちに呼んでくれて、一緒に遊ばせてくれたのね。

上田さんの両親が上田さんのことを「おおっぴらにしちゃった」のが、単純に「愛情深かった」としてしまうのは早急かもしれない。上田さんも語っているように、「長男としてみんなに認めてほしかった」という気持ちがあったのだろう。そのためには上田さんの存在を「おおっぴらに」するほかない。なぜなら長男とは、他でもない両親以外の親戚、地域の人たちがそのように認めて成立するものだからである。次節で述べる上田さんの祖母の存在のような上田家独特の環境も、「おおっぴらに」することを後押ししたのだろう。

上田さんの両親は、上田さんを同年代の子どもたちと一緒に遊ばせた。上田さんは、「ふつう」の幼少期を過ごすことができた。

すっごいそれ良かったと思うんだよね、俺自身にとって。いろいろコミュニケーションの取り方とかさ、子ども同士のね。遊ぶのも一緒に遊んでくれてたわけだし。俺の状態に合わせて、周りも子ども同士でいろいろ工夫してたのよ。

私が「何して遊んでたんですか」と聞くと、上田さんはある思い出を語ってくれた。

僕の家の裏側が川なんだよね。その家の端っこにムクノキがあったんですよ。結構でかい木だったのね。あれ、いつ頃植えたのかな。友だちが運んでくれたか覚えてないけど、その周りで結構遊んだり。実がなるんだよね、実が結構美味しくて。甘酸っぱくて。みんなで採って食べたり。……恵まれてたと思います。

上田さんは自らの幼少期を振り返り、「恵まれてた」と表現する。なぜなら、「障害」のある子どもの「ふつう」とは、恥とみなされ、存在しないとされることだったからである。だから上田さんは、おおっぴらにされて、同年代の子どもたちと一緒に遊ばせてもらったという幼少期を「ふつう」ではなかったと捉え、「恵まれていた」と表現するのだろう。だからこそ上田さんは、インタビューの最初に「ちょっといろいろ訳あって、他の人たちとの共通項があるかないか微妙なので、とりあえず語っておきます」と語り始めたのだった。

ここに語られている「他の人たち」とは「他の全身性重度障害者」を、「共通項」とは「全身性重度障害者にとってのふつう」を指している。「他の全身性重度障害者にとってのふつう」に自分が当てはまるかわからない、という留保が行われているわけである。つまり、上田さんは「一般的」な「全身性重度障害者」にとっての「ふつう」とは異なる存在として自らを位置付け、語り始めたのであった。

上田さんは他にもいくつかの思い出を語ってくれた。

脳性麻痺の子どもしかわかんない話。今はね意外と耳も聞こえなくなって、鈍感になったけど、子どもの頃って、音にすごい敏感なんですよ。で、大きい音がするたんびに、体に痙攣が来るのね。ギクッっていうか、ビクッっていうか、体に痙攣が来るのね。

お盆の時ね、子どもたちが花火をあげるんですよ。爆竹とか、花火を。音出して楽しむんだけど、（お寺が）目の前だからさ、良く聞こえるのね。鳴るたんびにビクビクビクビクおれがやるもんだから、親父が、夕方なんだけど、おれを車椅子にのっけて海まで逃げてく（笑）。海辺までずっと行ってくれてたのね。そういう思い出があります。夜の海辺の景色が結構印象に残ってますよ。二〜三〇〇メートル先に桟橋があって。

結構横暴な親父だったけど。あの、親父のわがままで周りが騒がされて、上田家騒動をやったわけですよ。それで、生まれた子どもが俺だったわけですよ。強引に生んじゃってさ。悪かったと思ってたんだろうね。強引に子どもに産んで、こういう子どもで生まれてきたことに対して、すまなかったっていう思いがあったんだろうと思います。言わなかったけどね、もちろん。今となっては懐かしい思い出ですが。

本家であった上田さんの家に親戚が集まる年末年始も、楽しいひとときだったという。

あと、正月はお餅つき。年末餅をついて。うちの家のそばに石臼があってね。で、米一升か二升炊いてたかな。足で踏む。足で踏んで、重いから（杵が）落ちるわけですよ。重さで落ちる。で、落ちる前に炊いた米を入れて、重さで落ちた杵で餅を作った。大きいよ、二〇キロくらいあったんじゃないかな。にぎやかだよ。（親戚）二〇人くらいかな。

雑煮もね、こっちではあんまり見ないけどね、あんこが餅の中に入ってるのよ。それで雑煮作ったりね。

「えー!?　そんなのあるんですか!?」

あんこ入りの餅で作る雑煮など、食べたこともなければ聞いたこともなかったので、私は驚きを隠せなかった。美味しいのか半信半疑だったが、甘さと塩加減がちょうどいいらしい。

美味しかった食べ物と言えば、魚は今でも忘れられないという。

毎日、漁師さんが、朝獲った魚を売りに来るのね。リヤカーとかで。二、三キロ道を歩いて、売りに来てくれてて。こいわしの刺身が、すごい美味しくって、ちょっと苦いんだけどね、めちゃくちゃおいしくて、こっちであいう新鮮なイワシ、食べたことないよ。美味しかった（笑）。

おばあちゃんの英才教育

両親が上田さんをおおっぴらにしたという話から、上田さんを上田家の長男としてみんなに認めてほしいという両親の想いの強さが伝わってくるが、祖母の上田さんへの想いも人一倍だった。上田さんは、その祖母の想いを胸に今まで生きてきた。

七〇年間ずっとまあ抱き続けてきた想いというのがどっかにあるので、付け加えさせてもらいます。……八代続いた上田家の長男として家を継ぐために生まれてきたような存在なので、おばあちゃんが僕に散々、英才教育と言ってはなんだけど、話をしてくれて。五代目かな、子どもに障害者がいたらしくて。当時の江戸（時代としてはおそらく幕末のころ）に行って島に帰ってくると、すごいお祝いをするらしくて。障害児のお父さんだったんだろうと思うんだけど、江戸から帰ってお祝いしようとしたらしいんだけど、たまま障害児が亡くなったのかな。親が、すごい「やめろーやめろー」って。息子が亡くなったわけだから、「騒ぐのやめろー」って。騒ぎになったっていうか。

これは上田家において、「障害者」であったとしても、家族の一員としていかに尊重されていたのかということが端的に語られているエピソードである。

俺に対しておばあちゃんが、そんな話とか先祖代々の話をいろいろしてくれてたんだよね。そういうの聞かされて育つとさ、なんかやっぱり、そういう役割をしなきゃいけないんだろうなと、思ってはみたものの、こんな体で生まれて来たわけだから、ギャップっていうか。それで、平々凡々と育てられたけど、ただのおとなしい人生を送ったら、俺の生まれて来た意味がないんじゃないかと。後を継げなかったけど、先代に悪名を残しちゃいかんだろうな、的な想いはあってさ。だからまあいろいろ活動もしてきたけど、そういう意識がバネになってきてるかなと、今更ながら思ってます。

上田さんにとって、祖母がこれほど大きな存在であったのは、先祖代々の話をしてくれたということだけではない。

両親が農家だから、もともと農家の生まれだったんだけどね。また農家に戻ってきたわけだからさ。いろいろ畑仕事を両親で行ってることが多くて、（その間）おばあちゃんに半分育てられたみたいなところもあるんだよね。俺が一七歳まで生きてて、八五か六で亡くなったんだろうけど、家で目の前で息引き取ったんで、先代の重みはあります。

僕を半分育ててくれたおばあちゃんが、（僕が）一七歳の時に亡くなったんだけど、僕の目の前で息絶えた。もちろんみんなで見送ったっていうか、周りに子どもたちがいて息引き取ったわけだけど、目の前にいて、顔がだんだん変わってくっていうことを見て、人生観が変わりました。顔がだんだん変わっていって、色が無くなっていって。

生きてる間ずっと怒りとか悲しみとか抱いてる結果が、その死に顔になって出てくるって話を聞いて、わー、できるだけいい死に顔でいられるような人生にしたいなあと思っていて、そのきっかけが祖母のおばあちゃんの顔を見ながら何となく感じていたことで。……いい人生送ればいい死に顔になるだろうみたいな、そんな人生観をもらうきっかけになったかなと。

地域の学校に通う

六歳ぐらいになって、就学年になったわけですよ。今でいうと養護学校（現・特別支援学校）行くかとかあるんだけど、当時そんなものなくて、二〇キロくらい離れたところの、広島市内の、しかも郊外に、学校もリハビリ病院も兼ねた施設（若草園）があったのね。そこに行くともう寮生活みたいなさ。だって通えるわけないし、一時間半くらいかかるから。

そこに入れるか、地域の学校に入れるか、（両親が）迷ったらしいんだよね。普通迷うよね。

その夏、上田さんと母親は、若草園に二ヶ月間泊まり込みで母子入園※4をした。二人にとって、初めて他の障害児とその親に出会う経験だった。叔父の持ってきてくれたスイカが美味しかったのを、未だに思い出すという。「（障害は）治らないっていう、いわゆる諦めとしてあの経験があったのかな。今思えば。」と振り返る。

両親は地域の学校に入れようと決めてくれたのね。そしたら幸いに親戚で結構、学校関係者が多かった。校長とかさ、教頭とかさ、いたもんだから、そういう人たちにお願いして、じゃあっていうことで、家族の誰かが学校内でもそばにいると、そういう条件で通学を許可されたのね。

同年代の障害者の人は養護学校にも行けないし、もちろん学校にも行けないし、家でずっと過ごしてたっていう人たちが圧倒的に多かった。そこでもだから僕は恵まれてました。

先にも引用した杉本章の『障害者はどう生きてきたか』によると、一九五〇年代当時、障害児はまだ「教育を受ける権利」を保障されておらず、特に重度障害児の大部分が、戦前と同じく就学猶予・免除の扱いを受けていた。視・聴覚障害児について、盲・聾学校の義務教育制が一九四八年度の一年生から学年進行で実施されていたのみだった。多くの同年代の「障害者」の人たちは、学校にも行けず、家でずっと過ごしていたのだった。

上田さんもこうした状況に置かれてもおかしくはなかった。しかし、両親の「おおっぴらに」するという方針から、上田さんは地域の学校に通うことができた。上田さんは、ここでも「恵まれてました」と振り返る。

学校では、最初の一年間だけ、母親ではなく中学三年生だった姉が送り迎えをしてくれていた。

これは笑い話で、（姉が）一回迎えにきてくれるの忘れちゃって、そのまま帰ってきたらしくて、母親が「要どうしたのね？」って言って、（姉が）「あーーー、忘れた！」。おれは学校に置き去り。そういうバカな話もあったんですけどね。

二年生からはずっと母親がそばにいて、親子で毎日通学していた。

母が毎朝連れて行ってってくれてたんだけど、川沿いに下りていかなきゃいけなかったわけですよ。三〇〇メートルくらい歩いていくんですよ、川沿いを。

七月くらいだったかな。朝下りて行ったら近所の人とばったり会って、母とその近所の人が話し始めたのね。ちょっと母の緊張が緩んだんだろうね。手を放しちゃったのよ、車椅子の。道が川の方に傾いてるから、ずるずるずるって行ってしまって、落っこちたのね、川に（笑）。助け上げられたんだけど、おれは何も傷なかったのね、奇跡的に。みんなも驚いてました（笑）。

お袋が追っかけて行って、つんのめって、膝をおもいっきり擦りむいたんだよね。そのおかげで二週間くらい傷が治んなくて、家で寝てたような状態で、歩けなくて。だから学校も行けなかったっていう。

そんなハプニングも乗り越えながら、学校へ通った。冬は雪が降り積もる日もあったが、雪道をなんとか車椅子で通った。

授業中、ノートは母が書いてくれて、上田さんは先生の質問に答えるだけという形で対応していた。脳性麻痺によって手が思うように動かせず、文字が書けないからである。学校はあまり休まずに通うことができた。

家、農業だったもんだから、三月から四月、五月くらいが一番忙しいのね。そういうときは学校休んだり、風邪ひいたりって休みもあったけど、年間一〇日休んだくらいで学校生活なんとか続けられました。運動の時間は、教室に残って自習の時間だったけどね。そこはちょっと寂しかったけど、あとはだいたいこんな生活かな。

実家は米農家だった。田植えは手作業で、ほとんど両親二人でしていたという。学校が休みのとき、蛙の鳴き声を聴きながら、そんな田植えの景色を上田さんは家から眺めていた。

三月、四月くらいからかな。三月くらいからゲロゲロゲロゲロゲロ鳴き始めて。五月の中頃、田植えが始まって、水を張らなきゃいけないのね。で入れ始めるとほんとカエルが一気に鳴き始めて。うるさかった（笑）。夜はさすがにカエルも寝てたと思うけど（笑）。九月の終わりくらいに水を入れるのやめて、干上がった状態で稲を刈るわけですよ。刈った稲ははざ掛けして天日干しするんですよ。二週間くらい。乾いたら米を稲から外すわけですよ。それで脱穀して、ようやく食べれる米ができるっていう。それでカエルも鳴きやむ。

母親がそばにいたため、それが良くも悪くも防波堤となり、いじめられることもなかった。「良くも悪くも」というのは、上田さんが「今から考えたら、……少しはいじめられても良かったなと思う」と考えているのである。
先生にも恵まれた。小学校の担任の先生は、上田さんを「障害者」としてではなく、一人の生徒として扱ってくれた。

僕にとってはすごい恩師だったんだけどね。すごい気を遣ってくれてね。ちゃんと指名もしてくれてね、答えさせたり。
そんな感じで小学校卒業して、修学旅行も松山だったんだけど、町営の船が出てて、その船をチャーターして、……松山へ姉と父親と二人一緒に連れて行ってくれて、一緒の船に乗ってってたんだけど、ちょうどその行きの時に台風来てたんだよね。台風じゃなかったかな、嵐が来てて結構揺れて、二階まで波が来てたという揺れ方で、一緒に行ったメンバーの六割から七割は酔ったんだけど、なぜかおれは、横になって寝たまま行ったもんだから、ピンピンしてたという（笑）。揺れているような感覚はあったけど、気分悪くなかった。一歩間違えたら海の底に沈んでた。帰りはね、割と静かに帰ってこれたんだけど。松山に初めて行って、こんな旅行好きなんだけど、未だに四国はその一回だけだな。

みんなが船酔いする中で上田さんはピンピンしていたエピソードからは、上田さんが七〇歳を過ぎた今なお、精力的に様々な活動をしてピンピンしていることへの誇りが、ここに重ね合わせられているように私には感じられる。

その出発点には、上田さんのことを「おおっぴらにしちゃった」両親をはじめ、長男として扱ってくれた祖母や一人の生徒として接してくれた小学校の先生などの存在が、たしかにあった。

※2　脳性麻痺は、一八六一年に英国の整形外科医 Little によって、「異常分娩に伴う」として初めて報告された（穐山富太郎ほか編著『脳性麻痺ハンドブック 第二版』）。

※3　一九五六年の厚生白書の記述は次の通り。
〈身体障害児童〉「身体に障害のある児童は、早期の治療によって容易に機能の回復を期待できるにもかかわらず、経済的な理由などによって放置され、その結果、不具廃疾者として一生不幸な生涯を送ることを余儀無くされる場合が多い。したがって、これらの児童の福祉を図るためには、早期にその障害を発見して早期に治療を行い、極力障害の除去ないし軽減を図ることによって将来の自活能力を与えることが肝要である。」
〈身体障害者〉「身体障害は、人間をおそう不幸の中でもきわめて深刻なものの一つである。それは、人の各種の能力の欠損をもたらすものであって、特に人間の労働能力を奪うことによって生活を破綻に陥れることが多い。のみならず、それは本人の心理にも一般世人の心理にも強く影響して、身体障害者は正常な人間関係を建設することが困難になり、社会生活から隔離されるおそれがなしとしない。」

※4　母子入園：障害児入所施設の判断で、効果があるとされた未就学の肢体不自由児を保護者と一緒に一〜三ヶ月入所させ、親子に訓練指導するもので、一九六五年に各都道府県知事・指定都市市長あての厚生省通知で示されている。障害児支援の再編にともない、二〇一三年に「親子入所」に改称された。

2　いらない存在、ではない

ひとりぼっちになる

いじめられることもなく、先生に恵まれ、卒業旅行にも行き、上田さんは楽しい小学校時代を過ごしていた。ところが、中学生になると事態が急変する。

小学校の時は歩いて二〇分くらいの距離だったんだけど、中学校になって倍近い距離になって。うちからね。遠いなあって思ってたんだけど、母親も。一年の時は、教室が学校の校舎の一階だったのね。そこはなんとかなったんだけど、二年生の時に二階だったのね。おれの体がもう母親よりもでかくなってて、二階におぶって行かざるを得なくなってしまって、（母親が）しんどいなあって思ってたら、姉が結婚することになって、その結婚式の準備も母親がやることになってしまったもんで、もうこれはしょうがないなと、残念だけど学校はここで休学しようということになったんですよ。だから二年生の五月まで行ったと思うんだけど、そこで学校生活が終わりになりました。

こうして上田さんの学校生活は幕を閉じることになった。上田さんが一四歳になる三ヶ月前であった。学校へ行けなくなったことは、特に友人関係に影響を及ぼした。

学校行かなくなった頃から、友だちも来なくなって、……あんまり周りと交流できなくなってしまって。

歩いて四、五分のところにいる同級生の女の子だったんだけど、（小さい頃から）ずっと遊びに来てくれて。一二、三歳の時に、（それまで）兄弟みたいな関係だったんだけど、いつの間にやら女の子として意識するようになって、それが初恋の始まりです（笑）。当時はそんなに深刻に考えなかったんだけど、なんでか知らんけど、障害者だということで自分の想いを抑えてしまった。結局打ち明けないで終わってしまいました。僕が学校行けなくなった途端に来なくなって。

その六年後、偶然彼女と再会することになる。

養鶏やってたの、家ね。卵も売ってたのね。結構、留守番してたことがあってさ、俺が一人で。二〇歳くらいの時に、その彼女が突然お客としてやって来てさ。すっごいいい女になって現れてね。どきーんって感じで（笑）。でも何も言えなくて、そのまま帰ってしまいました。

彼女は中学を出てすぐ就職した。（だから最後に会ってから）六、七年になるね。何も話してない。「あれまー、お久しぶり」って感じ。言えなかったね。ここでこんなこと言うとあれだけど、逃した魚は大きかったという（笑）。

そんなこともあったりして、それ以来もう諦めて伝えないっていうのもううんざりして、その後何人打ち明けたか（笑）。そんな、今となっては楽しい思い出ですけどね。

このままでいいんだねって

上田さんは学校に行けなくなった。「障害者」であることによって、将来の選択肢は著しく狭まった。

（卒業まで）一年くらいぶらぶらしてたかなあ。中学校卒業ということで卒業証書ももらったりしてさ。なんでおれ学校行かないのに証書もらうのって、ちょっと変な感じでしたけどね。卒業写真は外枠に入れられて。みんなと一緒じゃなくて、ちょっと悔しかったけどね。

みんな高校行ったりさ、就職する人も三割から四割いたんで、社会人になるわけじゃないですか。おれ一人で取り残されたみたいな感じになって、悔しくって。

現在もこの傾向は変わらない。障害者の雇用率は五五％、高等教育在籍率は一％（平成三〇年度）である。「国民の七・六％が何らかの障害を有している」（内閣府「平成三〇年度障害者施策の概況」）という現状を考えれば、これらの数字は低いと言わざるを得ない。

じゃあおれは何ができるんだ、本を読もう、と思い立って、日本文学全集を買いあさり始めて。

日本文学全集を読み漁り、ジャポニカの百科事典を全巻揃え、ラジオ英会話講座のテキストを二、三年くらいやった。二〇歳になるくらいまでそれが続いたのだった。中でも親鸞の考え方に大きな影響を受けた。

僕の家でずーっと続いてきた浄土真宗っていうかね、親鸞っていうお坊さんの生き方を改めて勉強するようになって、人間は全て罪人だっていう意識の中で、じゃあどうやって生きていけばいいんだってところで、罪人自身が救いの対象だよっていう、そういう根幹に触れたところで、じゃあこのままでいいんだねって、このままで救われるんだね的な、悟りというのはあまりにもお粗末な言い方だけど、なんか安心っていう思いが芽生えて、ようやく救われたって言っちゃあれだけど、それ結構僕の人生のひとつの核になったんだろうと思ってます。

上田さんは、親鸞の考え方が「人生のひとつの核」になったと言う。核というのは、「罪人自身が救いの対象」ということである。上田さんは、自分が「障害者」であるがゆえに後継ぎとしての役割を果たせないことへのやるせない想いが、少なからずあったのではないか。だからこそ、この「根幹に触れた」ことによって「このままでいいんだねって、このままで救われるんだね」という安心が芽生え、「ようやく救われた」のだろう。

祖母によって育まれた長男としての使命感が活動のバネになっていったとするならば、罪人自身が救いの対象という親鸞の考え方は活動のバネを支える土台になっていった。

少しはこの体が動いたほうがいい

親鸞の考え方に触れ、「このままでいい」と思えた上田さんも、実際にはそう簡単に自分の障害を受け入れることはできなかった。

さっきとの関連もあるけど、少しは体が動くようになった方がいいかなと、今で言えば「健常者願望」みたいなとこがまだあったわけよ。女性と結婚して、誰でもいいちゃ誰でもいいんだけど結婚して、せめて子どもを作って、俺の後継ぎとして生まれてほしいなと思ってたことも事実です。

「まだあった」ということは、現在はそれが「もうない」ことを暗に示しているわけだが、当時はこの「健常者願望」があった。

だから体がもうちょっと動くようになった方がいいかなと思って、一九歳の時、自分で起き上がる訓練を始めました。手が使えないからねえ。当時も結構ごろごろ寝返りってか、転がったり、起こしてもらえれば、いざり歩き、正座したまんま歩くっていう、それが出来てたんですよ。自分で起きれればさ、家の中だったらどうにか動けるかなって思って、手を使わないで、首の力を利用して起き上がる訓練やり始めたんですよ。うつ伏せになって、首を力入れて膝を中に折りたたんで、最後腰の力で起きると、そういう訓練やったわけですよ。確かにできるようになりました。完璧じゃないけどね。

「障害」を個人で抱え込む限り、それは個人で解消するという形を取らざるを得ない。

つまり、訓練やリハビリをすることによって、少しでも「この体」が動くようにするしかないということになる。それでも「この体」が「健常者」と同じ程度に動くようになることはない。

「いつか他の人と同じように社会の中で暮らすために、今は社会から離れて普通の人に近づく訓練をしよう」

こういう発想は、社会に出る時期を先延ばしにする。そして、先延ばしによって隔離期間が長くなればなるほど、「普通の人」「厳しい社会」というイメージが密室内で妄想的に膨れ上がり、ハードルは高くなっていく。

（熊谷晋一朗『リハビリの夜』一五二―一五三頁）

このハードルを乗り越えようという努力によって、果てのない「健常者願望」とリハビリに駆り立てられることになる。

上田さんが「健常者願望」と表現したのは、まさにこの「普通の人」というイメージである。

それがね、三〇年後首を痛めて。両手と腰から下の感覚がなくなったのが、その自分で起き上る訓練したことが原因だったかなと。首をすごい捻って力入れて起き上がってたから。ダジャレではありますが（笑）、「骨折り損のくたびれもうけ」と、そういう話っていう。バカなことやったかなと思ってます。

起き上がる訓練をしたことと、首を痛めて両手と腰から下の感覚がなくなったことに因果関係があったかどうか、実際には定かではない。上田さんも「原因だったかな」と断定を避けている。それでも、両者を結び付けて考えている。それによって「起き上がる訓練は骨折り損のくたびれもうけ」ということになり、「バカなことをやった」と振り返ることができる。現在の上田さんの「健常者願望」への決別の強い意志が現れている。

しかし、当時の上田さんはその「健常者願望」ゆえに、施設への入所を選択していく。

ここで俺の人生終わるのか

二四歳の時に、当時の能美町役場の、障害福祉課とは言わなかったけど、福祉事務所かな、から連絡が来て、中国地方で初めて、訓練をしてくれて世話もしてくれる施設が出来るから、お宅の息子さん入ってみませんか？というお誘いが来ました。

今はあんまりないって言えばない、あるって言えばあるようなもんだけど、療護施設、治療の「療」に介護の「護」と書く、っていう形の施設です。治療の「療」に介護の「護」と書くわけだから、リハビリもあると、いう風に見てしまうわけですよ。見ちゃったわけですよ、役所の人が。錯覚。

僕は当然信じてしまうわけですよ。ね、二五にもなるわけだから、そろそろ人生の、どう生きてくか決めなきゃいけない年齢になったわけですよ。リハビリしてくれるんであれば、少しは体が動くかなと、「美しい誤解」をしたわけですよ。

こうして上田さんは、二五歳の五月（一九七四年）に初めての施設入所をすることになった（旧・身体障害者福祉法に基づく身体障害者療護施設）。ときわ台ホーム（現・障害者支援施設ときわ台ホーム）は現在の東広島市にあたる広島県の中央に位置し、全部で六〇床あり、男女別に分かれていた。

当時、コロニーっていう方式で、いわゆる福祉施設を一カ所に集めてしまうっていう、そういうやり方が流行ってたっていうか、行政の方針だったみたいで。そのかわり周りは誰もいなかったっていうね。地域にも誰もいないしさ。いわゆる山奥の隔離施設みたいなところだったわけですよ。

一九五一年社会福祉事業法制定から一九七三年第一次石油危機をきっかけに政府が「地域重視」へと施策を一転させるまで、特に高度成長期の一九六〇〜七〇年代にかけては、「更生援護施設」「収容授産施設」「重症心身障害児施設」「福祉工場」「療護施設」など施設種別の新設と細分化、さらに一九六七年以降、各地でコロニー設置が進められた※5。その意味で、上田さんが入所した一九七四年はまだ、このように障害児・者をその種類・程度によって分類し、施設に収容し、それら施設を一カ所に集めるという考え方とその実行は「流行っていた」と言える。

入ってみたら、それはもう全部、最初っからずーっと、一日中何もやらない。ただ食べて寝るだけ。リハビリなんて、何がリハビリなんやねんって言いたくなる。病院みたいなもんだから、最初四つベッドが入ってて、ベッド生活でした。

ベッドだとさ、ほんとなんもやらなくて。困ったなと思ってたら、畳の部屋が良いっていう人が何人かいて、ベッドを取っ払って、そこにカバー付きの畳をしてくれました。そこに四人寝転んだ状態で、一日を過ごすようになりました。でも何もやることない。お風呂が週二回。食事は一日三回出るだけ。朝六時半ごろ起こされて、ずっと周りと駄弁りながら過ごして、一二時くらいに食事して、職員が帰る五時までに夕食を済ませなきゃいけなくて、就寝が九時だった気がする。

加えて、外出も滅多にできなかった。

面会に来てくれた家族が自主的に出すのであれば、外出するのは構わないけど、職員が動いてはくれない、そんな状況だったんですよ。

最初はね、家族が週二回か三回来てくれてたんだけど、一ヶ月、二ヶ月くらい経った時にいきなり、面会を月二回にしろと言い渡されてしまって。第二、第四の日曜日だったかな。だから外出もできなくなってしまって。

「はい、引っ越しますよ」と突然言われて、四人部屋から一〇人部屋へと連れていかれたこともあった。恋愛などはもってのほかであった。

女性の方から俺たちの部屋にけっこう遊びに来るようになった人たちがいてさ。ダメとは言われないから。おんなじ建物の中だからさ。部屋は違うけど、とりあえず自分で立って動ける人は遊びに来れるわけですよ。同い年の女性がけっこう遊びに来るようになって、その頃からこういう性格だったんだよねー、いつの間にか、仲間内のいろんな人たちの話の中で、俺が「お父ちゃん」って呼ばれるようになったのね。

……遊びに来てた同年輩の女性が、俺はお父ちゃんだけど、彼女お母ちゃんって呼ばれるようになって、結構かわいい人だったけど、変な恋心が芽生え始めて（笑）。やっぱりお父ちゃんは、お母ちゃんはほしいっていう、そんな関係もあって。お父ちゃんはお母ちゃんがほしいじゃないですか。二五歳の熱き青春時代ですから。そういう恋愛話なんかもしたいけど、そんな雰囲気どこにもない、話せないという場所でもあった。

俺呆然として、ここで俺の人生終わるのかなと思い始めたわけ。先言った若い仲間たちからも「もう死ぬまでここにいることになるんだよー」って言われてしまって、「そうかー、俺ここで人生終わるのかー」って思い始めて、さっきのおばあちゃんの言い伝えじゃないけどさ、上田家の長男としての役割も完全にできなくなるじゃないですか。俺の人生ってこんなもんだったのかなと思い始めて。

「俺の人生ってこんなもんだったのかな」という言葉には、ここで人生を終えたくない、という想いがひしひしと感じられる。施設の仲間たちが「もう死ぬまでここにいることになる」というように、自分たちの置かれた状況を受け入れ、諦めていることとは対照的である。

ここで死ぬかというそういう絶望感とかさ、あったりして。もちろん期待してたリハビリなんか、何もないしね。だんだんもう、ここはもう俺がずっといるところじゃないなと思って、家族も「あなたいたくないんだったら帰れば？」と言ってくれたこともあって、五月に入ったけどその年の一二月に退所しました。出てきました。

上田さんには家族のサポートがあった。対処しても家族に「帰ってくるな」と言われてしまえば退所後の受け入れ先がなくなってしまう。当時は自立生活という考え方などなく、施設か家族か、という選択肢しかなかった。自立生活運動が米国で始まったのが一九七〇年代、日本で知られるようになるのは八〇年代、さらに法律に障害者の自立と参加が明記されるのは九〇年代まで待たなくてはならない※6。

加えてもうひとつ、上田さんの長男としての使命感も、退所への原動力になっていた。この使命感があったからこそ、上田さんは「ここはもう俺がずっといるところじゃないな」と思うことができた。

施設に入るということ

期待していたリハビリもないことや、「ここで死ぬか」という絶望感が重なり施設から退所したが、施設での出会いもあった。

友だちもできてですね、二つ年下の男性だけど、結構話が合ったっていうか。彼のお父さんがすごい暴力を振るう人で、お母さんにも殴ってて、「こんな子産んだのお前が悪いんだ」っていう。そういう話とかもされてたってこともあって。小林君って言うんだけど、小林君が自分で福祉事務所に電話して、「ここ（家）に居たくないのですが、入れる施設みたいなとこないか？」っていうことで、相談した結果、ときわ台ホームに入ってきた人なんだよね。彼とすごい仲良くなっちゃって、彼と別れるのも辛かったけど。とりあえず（施設を）出てきました。

ラジカセってわかる？　あれを俺も彼も持ってて、（俺が施設を）出てきたあとで、カセットに彼が自分で声を録音して、田舎の僕に送ってくるようになったのね。彼が「自分で入ってきた施設だけど、あまりにもひどいので自殺を二回試みた、でも自分で自殺もできない状況なので諦めてしまった」と、そういうことを送ってくるようになって。

上田さんは「ここで死ぬか」という「絶望感」を抱き、家族のサポートで施設を退所した。その一方、帰る場所のなかった小林さんは二度の自殺を試みた。入所した彼らをここまで追い詰めた「施設」とは何なのだろうか。

先に上田さんが語っていた、ただ食べて寝るだけで何もやらない、外出のために職員が付き添ってくれない、などは「待遇の悪さ」である。では、配慮の行き届いた形で仕事を全うすれば、施設の問題は解決されるのか、いや、そうではないだろう。上田さんは次のように語っている。

全く山の中に閉じ込められたような状態で、関係者以外誰も入ってこれない状態だったわけですよ。だから中で何をされようと、どんな扱いされようと、公開できてないっていうことが、いわゆる密室性の問題が一番問題だったんだろうなと。そこから管理者側が管理しやすいようなシステムを作っていったことが結構ある状態だったんだろうなと、思ってたわけですよ。

施設の何が問題なのかっていうと、管理する健常者側の都合によって管理される障害者側の生活全てが決められていってがんじがらめになっていくってことが一番の問題なの、って思ったのね。

「障害者」が「隔離」され「管理」され、その生活が全て決められるということを、上田さんは昔両親が営んでいた養鶏にたとえる。

田舎の家で四〇年か五〇年前は養鶏をやってたのね。鶏を飼って卵を産ますっていう。それも、鶏一羽のスペースが縦横五、六〇センチしかないのね。そこに押し込めて卵を産ませる。産卵製造機みたいな感覚で飼ってたわけですよ。鶏の本来の在り方からすれば、生きてる心地はなかったと思うし。だからまさに人間の勝手な理屈で育って、まさに管理しやすかったわけですよ。産まなくなったらすぐ処分されてしまう。

まさに、「健常者」が「障害者」を差別してく、排除してくっていうのと重なってしまうのね。役に立たないものはさ、排除してくって。人間の勝手な論理で卵を産まなくなったらもう淘汰してくっていうのと同じ論理じゃないですか。人間だから殺すわけにはいかないから、一箇所に集めて管理してくってところで施設があるわけで。

「障害者」としての自覚

二度自殺を試みた小林さんは、家に居場所がなく、上田さんのように家族のもとに帰ることもできなかった。上田さんは施設を出たあとも、そんな小林さんを放っておけなかった。

俺東京に出てきたとき、いろんな人たちと繋がるようになって。当時、「青い芝」※7って、日本のまともな障害者運動のきっかけを作った団体があったっていうか、今でもあるけど。とりあえず過激っちゃ過激なんだけど、そういう団体のメンバーと知り合いになったもんだから、その広島の支部があって、「こうこうこういうメンバーの友だちがいるんだけど」（と言って）、こっちのね、東京のメンバーの「青い芝」の人たちにちょっと連絡取って、（小林君と）いわゆる仲立ちしてほしいと頼んで、紹介して、小林と「青い芝」が交流し始めて。

結局彼も（施設を）退所して、アパート暮らしを始めて、介助者を探しながらね、「青い芝」の活動をやってたわけですよ。四年間か五年間活動してたんだけど、飲み過ぎ、酒飲み過ぎたんだと思うんだけど、体を壊して寝たきりになっちゃったっていう、そういう噂を聞いてたんだけど。

それから一四年後、上田さんの父親が亡くなり、お骨を東京から広島に持ち帰って納骨と葬式をすることになったとき、上田さんは小林さんのお見舞いにも行った。行ってみると、小林さんは昏睡みたいな状態で眠りっぱなしだった。しかし、小林さんのお母さんと一緒にそばにいると、途中で目を覚ました。

途中でふっと目を覚ましてね、俺の顔を見てね「あぁ、来たのか」みたいな感じで、ふっと言い出した言葉が「俺は、あんたのおかげで、青春を味わえたよ」って言ったとこで、また眠り込んでしまったのね。それが六月だったんだけど、その年の一〇月にたまたま（小林君に）二四時間介助者が居なくて、次の介助者が行ってみたら、肺炎をこじらせて亡くなってたのよ。三三か四だったかな。

なんでわざわざね「あんたのおかげで青春を味わえた」なんてさ。健常者側から言えばさ、なにそれって話になるでしょ。だってわざわざ言う人っていないじゃないですか。いますか？　ね。

そのまさに遺言みたいに俺にぶつけてきたことにさ、彼も多分そう（遺言のつもり）だったと思う。施設を出て初めて女の子と出会ったりしてってたらしいのね。酒も飲み、病気もし、活動もしたということで、初めて青春みたいなものを味わえた的な想いを込めて、俺に言ったんだと思うのね。

その「あんたのおかげで青春を味わえたよ」って言葉が、俺の背中にずしーんと覆い被さってきてさ、その後の活動の原動力になったかなと、今でも思ってる。

上田さんにとってこの言葉は、「障害者」が社会の中で置かれた立場を端的に表した一言であった。また、その置かれた立場から少しでも脱して青春を味わえたことへの、友の感謝とよろこびの言葉だった。上田さんが三九歳のときである。

田舎にいたときは、近所の友だちとの交流はあったけど、いわゆる障害者仲間っていうのはいなかった、会う機会がなかったのね。その施設に入って初めてさ、仲間に出会って、思いっきり社会で障害者の置かれた立場、肌で染み込んだわけですよ。いわゆるいらない存在として、みんなが見てるっていうかさ。二五歳の時に施設に入って、初めて自分が障害者だって意識が芽生えたっていうか。

「施設に入って、初めて自分が障害者だって意識が芽生えた」、これは何を意味しているのだろうか。上田さんは生まれて間もなく脳性麻痺を抱えたのではなかったか、生まれてからずっと「障害」を抱えていたのではなかったか。

両親は上田さんを「おおっぴらにしちゃった」。同年代の近所の友だちとも遊び、普通の小中学校にも通った。祖母は長男として、先生は一人の生徒として扱ってくれた。上田さんは、家族や学校において、いらない存在とは見なされてこなかった。その意味で、施設に入るまで上田さんは「障害者」ではなかった。

したがって、上田さんが施設に入って初めて抱いた意識としての「障害者」とは、手足が自由に動かないとか、歩けないとか、うまく話せないとか、そういうことではない。社会からいらない存在として制約を受け、排除される「障害者」を指している。

それは、「障害」を生み出している社会へと目を向け、その社会のあり方を問い直していくことであった。「障害」と「健常」は比べられるものではない。そもそもこの区別がおかしいのではないか。このとき、上田さんにとって自身の「この体」は恥ずべきものでも、劣ったものでも、改善すべきものでもない。もはや上田さんは、社会から押し付けられる「障害」に囚われていない。

小林さんの「あんたのおかげで青春を味わえたよ」という遺言はまさに、上田さんにとって、施設に入所して痛感した、「障害」とは何なのかを表す、決定的かつ象徴的な言葉だったのである。

おれひとりがどうのこうのじゃなくて、仲間が全部生きがいを持って生きていってほしいなと思うようになって。……ちょっとでもいいから仲間たちに青春の喜びを感じてもらえればいいかなと思って、いろいろ活動はやってきたわけだけど。その小林君っていう、小林成壮っていう名前なんだけどね、僕の人生に思いっきり影響を与えてくれた友だちの一人です。

こうして、上田さんは、「障害者」を「いらない存在」とみなす社会の在り方へと必然的に目を向けていくことになる。

施設に入ったってこと、いい思い出はなかったけど、あれがなかったら僕の人生全然違う人生だったと思う。だからそこら辺でさ、受け取らざるを得ないじゃないですか。そこで初めて、僕の生き方も決められたかなという、そういう話です。

※5　コロニーについては、一九六五年厚生省内にコロニー懇談会発足、一九七一年群馬県高崎市に国立コロニー設置。また、六七年以降は各県でコロニー設置が進められた（安積純子ほか『生の技法　第三版』）。

※6　一九六三年には老人福祉法に基づくホームヘルパー制度が定められたが、身体障害者がその対象になったのは、一九六七年だった。「当時の国の考え方は、『一日四時間以上介護が必要な者は施設入所が望ましい』というものであり、」政府は「家族介護を前提としてホームヘルプサービスを補完程度のものとしか考えていなかった」（『障害者はどう生きてきたか』一四三―一四四頁）ことがわかる。

※7　青い芝（青い芝の会）：東京市立光明学校（現・東京都立光明学園）の同窓生親睦団体として始まり、一九六〇―七〇年代からは健常者中心の社会を抗議・告発する運動に展開、各地に支部ができる。七〇年以降、母親による障害児殺害事件とその減刑運動や、障害を理由と

する堕胎を許容する優生保護法改定案への抗議が神奈川を中心に活発化、全国総連合会結成。管理的な施設や養護学校義務化の反対の主張を展開した。（『生の技法』第七章ほか参照）

ひと呼吸をおく――語りの中断

……………。


語りが途切れ、少しの間が空く。上田さんは次に何を言おうか考えているのだろうか、それとも話しすぎて疲れたのだろうか、と想像する。何か言わなければと感じて、大丈夫ですか、と思わず声を掛けてしまう。

「ちょっと、お茶ください。あ、録音とめて。」

そうかそうか、そうだよな、と私は納得する。

私たちだって、ぶっ通しで話していたら喉は渇く。喉が渇けば話しづらくなる。上田さんの場合は、本当に声が出なくなることもある。大丈夫ですか、などと尋ねた自分を恥ずかしく思いながら、私は横に置いてあったコップを掴み、ストローを上田さんの口の前に持っていく。

家では、上田さんは横になったままの状態で飲み食いをする。これが試しに自分でやってみると難しい。口元から飲み物も食べ物も溢れそうになる。もちろん上田さんは慣れたものである。それでもたまに口元から溢れることもあるが、それは私がシーツに到達する前に素早くティッシュで拭き取る。

液体は、ストローで飲む。水やお茶だけではない。スープやお酒も、である。スープをスプーンで飲むならまだしも、コップに直接口をつけて飲むことは物理的に難しい。シーツが水浸しになる状況が容易に想像できる。

上田さんの使うコップには、横になったままストローで飲む人のための、ささやかな、そして非常に便利な一手間が加えられているものがある。コップの内側にストロー一本が通るほどの輪っかが付けられているのだ。そこにストローを通すことで、飲んでいる間ちょっとした拍子にストローがずれて空気を吸い込んでしまうということを防ぐことができる。介助者も飲んでいる間ずっとコップの位置に気を遣わなくていいので重宝する。

ぱくっ、上田さんの口がストローを咥える。直接喉に流し込んでいるのではないかと思えるほど、物凄い勢いでコップのお茶が吸い取られていく。大きめのマグカップに並々に入ったお茶を一気に飲み干してしまうこともある。見ている私も喉の渇きを感じてくる。

「僕もお茶いただきまーす。」

インタビューを始める前に上田さんが入れてくださった、正確には上田さんの介助者が入れてくださったお茶を、ようやく飲む。最初はもくもくと上がっていた湯気も今は落ち着き、ほのかに残った温かさが手から、口から、伝わってくる。

上田さん疲れましたか、いやいや大丈夫ですよ。上田さんにとってはおばあちゃんが大きな存在だったんですね、そうだねー。もうこんな時間なんですね、ありゃりゃ。などと、他愛もない会話をする。

人生を語るという目的のない、漂うような会話に、インタビューの時には語られない、けれども上田さんの人となりが滲み出てくるような、思わず笑ってしまうこぼれ話がたくさん出てくる。

例えば上田さんが五〇代の頃、つまり中学校に行けなくなって三六年もあとの話である。当時付き合っていた彼女と沖縄旅行に行って、テンションが上がっていた上田さんは、居酒屋で空きっ腹に泡盛を流し込んでいった。本人曰く、何杯飲んだか覚えていないらしい。酔っ払った上田さんは途中からずっと彼女の名前を叫んでいたという。

「他の人の名前じゃなくてよかったですね（笑）」

「違う人の名前を叫んでたら殺される（笑）。それ以来、深酒しないようにしてますー（笑）」

どこに向かうこともない時間の中で、語り手も聴き手も、笑いながらほっと一息をつく。

言葉は、ひとを「いま」から引き剥がしてくれるものである。言葉によってひとは時間の地平を超える。…（中略）目の前にあるもの（現前）から離れることができるということ、それが希望と追憶を可能にし、誇りと落胆をもたらす。

（鷲田清一『「待つ」ということ』二二三―二二四頁）

はたと思う。

一体、上田さんの人生の歴史を聴くとは、生活史を聴くとは、どのような営みなのだろうか。もし録音の止まったときに交わされる他愛もない会話の端々にこそ上田さんらしさを感じるとしたら、私は何に耳を傾け、何を録音し、記録しているのだろうか。上田さんが自らの人生の歴史として語ってくれたものとは、何なのだろうか。

「上田要さんというあるひとりの全身性重度障害者が、七〇年間という歳月を、何を感じ考え、どのように生きてきたのか」

「（上田さんは）どのような経験を経て、今の地点へと辿り着いたのだろうか。辿り着いた地点からは、一体何が見えているのだろうか。上田さんは今、どのように世界を眺めているのだろうか」

私がこれまで発してきた問いである。これらの問いをきっかけに、私は上田さんの人生の語りに耳を傾けてきたのであった。このような個人に固有の世界について、社会学者シュッツは「日常生活の世界」（生活世界）と定義した。

（生活世界とは、）われわれがこれまでにもったすべての経験が沈澱し、蓄積された手もちの知識として組織され習慣的に保持されるようになったものであり、したがって、われわれに固有な、われわれ個人にのみ属するものなのである。

（『現象学的社会学』三〇頁）

上田さんの生活世界を理解するために、上田さんが今見ている世界を理解するために、私にできることはやはり上田さんの中に積もった経験を聴いていくことなのだろう。積もった経験は、それらが点と点として結び合わされていき、人生の物語として語られるのである。

しかし、私は次の一歩を踏み出そうとして、上田さんの話の続きを聴こうとして、再び躊躇う。一体、私は上田さんが語った言葉をどのように受け取ることができるのだろうか。どのように理解することができるのだろうか。それはただ「物語」なのだろうか。

生活史を聴くということ

社会学の生活史研究の領域で、こうした議論が積み重ねられている。現在その主流になっているのが、対話的構築主義アプローチと呼ばれる立場である。このアプローチは、語られたものを、聴き手と語り手の共同制作であるとみなす点に特徴がある。社会学者の桜井厚は、これを「相互行為」と説明する。

私たちが調査の枠組みによって調査協力者をカテゴリー化すると同時に調査協力者も私たちをカテゴリー化するリフレクシヴな相互行為で語りが構成されている（後略）

（『ライフストーリー論』四七頁）

語り手は、聴き手によって、状況によって、語る内容を変える。とすれば、語られたものは語り手の中にあるのではない、語り手と聴き手とのあいだで「今、ここ」において形成されたものである、と桜井は考える。これは、語られたものが事実かどうかは問わない、ストーリーであるとみなすことをも意味する。

しかし私は、やはり、語られたものは語り手が過去に実際に経験したことではないか、と思う。祖父母の昔話を聴くとき、戦争体験の話を聴くとき、それらが「相互行為を通して構築されたもの」とは、なかなか考え難い。私たちは本当にあったこととして受け取る。

ではなぜ桜井はこのような、日常の実感にそぐわないアプローチを編み出したのだろうか。それは、語られたものを私たちが受け取るとき、往々にして語り手を傷つけてしまうからである。社会学者の岸政彦によれば、私たちは往々にして意図せずに、「指し示すことや、名付けること、一緒くたにしてラベルを貼り、差異を無視して同一性のもとで語り、そして自己の枠組みにおいて他者を語ること」(『マンゴーと手榴弾』八〇—八一頁)をしてしまう。哲学者の鷲田清一は、これを次のように表現している。

聴く者が聴きたいように話を曲げてしまうというところに、苦しみのなかにあるひとの、尊厳をすら根こそぎ奪われた弱さが、傷つきやすさがある。

(『「聴く」ことの力』一六四頁)

私たちは他者の語りを聴くとき、そしてその語りを理解しようとするとき、たいてい自分の経験に引きつける。自分自身の経験と照らし合わせて想像する。知らず知らずのうちに、自分の枠組みに沿わせて他者の語りを曲げてしまう。特に、苦しみのなかにあるような他者の語りを聴くとき。

例えば、本書のように「障害者」の話を聞くとき、相手を「障害者」としてラベルを貼り、自身の「障害者」観に沿って話を聞いてしまう。「障害者」は差別を受ける等々。

他者と関わり、他者の語りを聴くことについて、鷲田は、すなわち他者を迎え入れること(ホスピタリティ=もてなし、歓待)だとした上で、次のように述べる。

客（聴き手）がみずからの同一性に閉じこもろうとすると、歓待は起こらない。歓待は相互的なものでないかぎり、血みどろの同化か排除に反転しうる。

（『「聴く」ことの力』二三一頁）

あるべき社会的事実を前提とした語りの容易な一般化において起こりうる「血みどろの同化か排除」、それを桜井は聴き手から語り手に向けられる暴力とし、禁止した。社会的事実の有無を問わず、語りが本当かどうかも問わずに、語られる多様な生を描くことを主張したのである。そのために、「今、ここ」において聴き手と語り手によって共同制作される語りの多様性に、焦点を当てたのだった。

しかしそれは同時に、「何が語られたのか」という問いから、「どのように語られたのか」という問いへの転換を意味する。結果として、事実へ至る道筋が原理的に閉ざされてしまう。これは深刻な矛盾であると、岸は桜井を批判する。「どのように語られているのか」を問うているなら、なぜ「何が語られているのか」を記述しているのか、と。

岸は、代わる選択肢として、聴き手の枠組みの変更を主張する。

他者の語りを聴き、理解するとは、聴き手である自分が変わることである。聴き手である自らが変わること。それによって、語り手を傷つけることなく、事実への道を閉ざすことなく、私たちは事実について記述することができる。

すべての聞き取りでの語りは、何かを呼びかけている。何かを主張して、何かを聞いてもらいたがっている。いま語られていることは本当のことだと、実際にあったことだと、世界と何らかの形で関係しているのだということが主張されているのだ。…（中略）そのなかには、にわかに信じがたいもの、思い込みや勘違い、虚偽や誇張が含まれるかもしれないのだが、そういうものが含まれていてもなお、そこで語られている人生の物語は「全体的には真」である。語りは、切れば血が出る。

（『マンゴーと手榴弾』一二—一三頁）

私たちは、ただストーリーとして語りを聴くのではない。実際にその時間が流れたことを知るのである。

そのような主張を持つ言葉たちを受け止め、こちらも言葉を差し出すことを繰り返していくうちに、私たちは何かに引きずり込まれていく。私たちは徐々に、語りの「内容」にコミットしていくのである。そのとき私たち聞き手には、ある「責任」が生じる。

（同、一三頁）

責任とは、聴いた語りを受け継ぐ責任だろう。ながいながい助走を経て、語りを聴いていく過程の中で、聴き手である私には責任が生じ、岸が「規範的関係」と呼ぶ関係を、私は上田さんと結んでいった。このとき、上田さんの語ったものが、上田さんと私との相互作用によって構築されたストーリーだとはみなし難い。それは「規範的関係」という関係性の真っただ中で、その関係性ゆえに語られたものであるけれど、上田さんはそれを本当にあったこととして語り、私はそれを本当にあったこととして聴いていたのだから。そのように聴くことが、聴き手としての倫理である。

「障害」の経験への接近

このようにして生活史を聴き取ることは、「障害」の経験への理解を深めることにもなるかもしれない。ここでもう少しだけ寄り道をして参照したいのが、医療人類学者クラインマンが『病いの語り』で論じる「病い」の概念である。

クラインマンは「病い（illness）」を、身体の特定の部位が悪いと診断される生物学的「疾患（disease）」や、その疾患に対して付与されるイメージとしての社会的な「病気（sickness）」とは「根本的に異なったもの」として区別する。

人は「疾患」と「病気」の両者を抱えながら、自分がそれらを抱えることの意味を生み出していく。これこそが、その人にとっての患うことの経験であり、クラインマンが「病い」と呼ぶものなのである。

患者は彼らの病いの経験を――つまり自分自身や重要な他者によってそれがもつ意味を――個人的な語り《ナラティヴ》として整理するのである。病いの語り《イルネス・ナラティヴ》は、その患者が語り、重要な他者が語り直す物語《ストーリー》であり、患うことに特徴的なできごとや、その長期にわたる経過を首尾一貫したものにする。

（『病の語り』六一頁）

ここに、「病い」を抱えていない私たちが、「病い」を抱えることの経験を理解することの糸口を見出すことができる。

われわれは物語《ストーリー》を通じて、病いの語りを通じて、病いの経験にかかわる。

（同、iii頁）

上田さん個人の「障害」の経験もまた、「病い」の経験と同様に、語られる物語を通じて関わることができると考えられる。加えて、上田さんの「障害」の語りとは、上田さんの生活史と同義である。

なぜなら、生後一週間で「障害」を抱えた上田さんにとって、「障害」を生きる過程は、いつ、どこで、どのように生まれ、育ち、どのような経験をし、何を感じ、考え、現在まで生きてきたのか、という生活史そのものと重なり合うからである。

「障害」の経験を、語りを通じて理解する、と言葉では表せる。しかし、私は理解できているのだろうか。上田さんがある冊子に記した言葉を改めて思い出したい。「おとうさん　ボクが生まれたとき　なにを思ったのですか……」という言葉を口にできなかったという、上田さんの胸の奥にある苦しみに、痛みに、私は果たして、どれだけ耳を傾けることができているのだろうか。

そう自分自身に問いながら、再び、一歩、踏み出してみよう。


……………。


気が付けば、かなり時間が過ぎてしまった。

「そろそろ再開しますか」

「はい」

「ではお願いします」

「さっきはどこまでだっけ」

「施設を出たところまでですね」

「わかりました」

3 からだを曝け出す

何の問題もなく振られる

施設に七ヶ月いて出てきたということで、改めて人生を考え直さなくてはいけないということもあって、いろいろ家の中も改造したりして。風呂場まで自分で転がっていけるようにしたりとか。

お見合いもまた、上田さんにとって自立の試みのひとつであった。結婚をすれば、施設にも、もとの家族にも頼ることなく、生活していくことが可能になるかもしれない。上田さんが女性と結婚して、子どもを作ることを望んでいたのは、そのような自立という目的だけではなかった。長男として、上田家の後継ぎとしての役割を果たしたいという思いもあった。後継ぎとしての役割とは、具体的には結婚をして家庭を築き、自分の後継ぎを残す、ということである。男の子が生まれたらという条件で、上田さんの父親を後継ぎとして認めるとした祖母の言葉からも、このことが上田家にとっての一大事だったということを伺うことできる。「この体」で生まれたことによってみんなにショックを与えた上田さんだったが、後継ぎとしての役割を諦めていたわけではなかった。

近くの島の、今から考えたら脳性麻痺の女性（と）なんだけど、一度だけお見合いしました。もう何の問題もなく振られました（笑）。面倒見きれんという。結婚したらどうせ彼女が僕の面倒を見なきゃいけないということになるわけ。今から考えたらそれもばかな話なわけだけど、当時はそういうふうにお互い思っちゃってたところがあって。（その女性にも）本人の障害があるわけだから、余計にそりゃ嫌がるのもわかりきっているわけで、それを敢えてお見合いしたという、今から考えたら本当ばかとしか言いようがない話で。

結婚は相手に大きな負担をかけることでもあった。おそらく彼女の方が「障害」の程度が軽かったのだろう。前に述べた通り、当時は自立生活という考え方などなかった。「結婚したら彼女が僕の面倒を見なきゃいけない」と互いに考えたのは、そのためである。つまり、当時は「障害者」と結婚すると、相手はその「障害者」の面倒を見なければならないと考えられていたということである。したがって、同じく「障害」を抱えた彼女にとって、より重い「障害」を抱えた上田さんと結婚することは、負担であり「面倒見きれん」であり、「何というこ」とになる。だからこそ、彼女が「嫌がるのもわかりきっているわけ」であり、「何の問題もなく振られました」となるのである。

電動車椅子に乗る

いろいろ工夫しながら、あの当時の自立を目指してやってきました。その中で、後ですごい僕の人生にとって重要なファクターになる電動車椅子も親が買ってくれて。

あえて上田さんが「当時の自立」と表現するのは、「現在」から振り返れば、「当時の自立」は「自立」ではないと考えているからだろう。「当時の自立」には、家族のもとや施設を出て、介助者を入れて地域で生活するというような自立生活の選択はなかった。結婚をして新たな家族に介助をしてもらうことや、電動車椅子に乗って自分で自由に行きたいところに行けることが目指されたのだった。

初めて使うから練習しなきゃと思って。たまたま家の敷地の中に（使っていない）田んぼがあったんだよ。田んぼを潰して養鶏をやってたんだよね。六〇〇羽くらい飼って、卵を出荷してたっていう時があって、それがあんまりうまくいかなくてやめちゃったんだよね。そのおかげで敷地が四〇坪くらいあったのかなあ。その養鶏の建物が残ってたんで、その中で電動車椅子の練習ができて。要するに、外に出かけるようになって、なんとか自分ひとりで、完全にひとりじゃなかったけど、お医者さんとか、隣村に行くとか、っていうことをやり始めてた。

これまで手動の車椅子では、誰かに押してもらう必要があり、それは押してくれる人の都合に左右されることを意味していた。

それが結局はこっち東京に出てきたときに（一九七八年）すごいプラスになったことなんだけど。自分で自由に行きたいところに行けるっていうことがすごい僕の社会勉強にもなったし……。買ってもらったのは（昭和）五〇年か一年でした。西暦でいうと七六年くらいかな。

夜、世ボ連の会議で遅くなって一〇時ごろ帰って来ると、お袋が心配で結構外に出て待ってたっていうそういう話もあったんだけど。

「世ボ連」についてはのちほど説明するとして、他の人の都合に左右されず、親にも迷惑をかけないことは、その後東京に移ってから、自由に障害者運動をしていくために必要だった。

施設を退所した上田さんは、このように様々な自立の試みをしていった。すなわち、方向性は定まった。けれども何をどうしたらいいのかわからない。コンパスはあるけれど、まだ地図はない。そんな状況だった。

東京に出る

上田さんが「当時の（自分なりの）自立」を模索する一方で、両親は歳を重ね、病を抱えていった。

そうこうしてるうちに、親父はもう七〇近くなって――七〇過ぎてたような気がする、よく覚えてないんだけど。お袋が六三、四くらいだったかな、突然足の小指が痛くなってきたと言い出して、親戚がお医者さんだったもんで見てもらったら、関節リウマチだと言われてしまって。

知っている人はわかると思うが、リウマチっていうのは、免疫反応が体自体を邪魔者と錯覚してしまうっていう、そういう障害なんだよね。とうとう母のそのリウマチが全身にきたのね。最初小指だったのに、一挙に広がってって、寝たきりになったのよ。一年くらい経った時。

だから七〇過ぎた親父が、母と僕の両方の面倒を見なきゃいけなくなったわけで。これちょっと下手すれば、周りの人が気付いてみたら三人とも死んでたと、今でいう孤立死みたいなことになりかねないな、と思い始めたわけですよ。

能美島での三人の暮らしは、もう難しかった。

たまたま姉が、ここの世田谷の男性と結婚してたのね。「美しい誤解」をしてしまって――僕は嫌で出てきた施設だけど――東京の施設だったら、少しは（嫌なことも）あるとは思うけどあんな嫌なことはないだろうと。だから両親の面倒を姉に見てもらって、僕は東京の施設に入ろうと。僕も両親も両方、三人ともおんぶに抱っこっていうわけにはいかないから。三人とも姉におんぶに抱っこっていうのは、俺は嫌だったから。だから俺は施設に入って、両親の面倒を（姉に）見てもらおうと心に決めて、（東京へ行こうと）両親を説得しました。

すぐOKじゃなかったですし、母は「もう東京に行きたくない」ということで、最初は母だけ田舎に残ってたんですよ。七七年にちょっと下見がてら出てきて、とりあえずなんとかなるだろうということで、七八年の六月かな、父と俺がふたりで出てきたんです。七八年にこっち（東京）に出てきて。最初ここ（今の家）じゃなかったんだけどね、今、日体大がある目の前に家を構えて、姉の家族と我々とで一緒に同居するようになったのね。

こうして東京に父親と二人で移ったのは、上田さんが三〇歳のときだった。

歳が歳だから、親父が七五だったかな、四だったかな、そういう年齢だったので、その（引っ越してきて）二ヶ月後くらいかな、近くの内科医で定期検診してもらったら、いきなり膀胱癌だって言われました。それを田舎に残ってた母に連絡したら、頑張って残るなんて無茶な話なんで、東京に飛んで出てきました。幸い初期だったようで治療を始めて。姉の方の息子が二人いて、夫婦と我々とで家族七人の生活が始まったんですよ。

蜂の会

田舎にいたときに、「全国青い芝の会」っていうのが、川崎で乗車拒否を受けたのをきっかけにして、仲間内で七、八人くらいバス一台に乗っ取った、っていう事件があったのね。バスジャック。

一九七六年暮れから七七年初めにかけて、障害者に対する路線バスの乗車拒否が相次いだ。それを受けて「青い芝の会」は、乗車拒否の発端となった川崎駅前ターミナルに集結し、一斉にバス乗車をした。川崎市とバス会社はその対応として、他の乗客をバスから降ろし、バスの運行をストップさせた。結果、川崎駅前は車椅子の障害者を乗せたまま動かないバスで埋まるという騒ぎになり、マスコミで大きく報道された。

なんで（障害者を）乗せないんだよ、っていうことをやったってことを新聞で見て。その三、四年前、施設に入って、障害者の社会における地位を、もう嫌という程実感してたわけですよ。そういう経験の上で、そのバスジャックの話を新聞で見て、これちょっとこまでやることはないだろうけど、なんか障害者の活動をやってみたいなと、密かに思ってたのね。

東京に出て来たのを機に、上田さんは「障害者の活動」を探し始める。

新宿区戸山町に、早稲田の近くなんだけど、都立障害者福祉センターっていうのがあるんですよ（のちに飯田橋に移転）。そこに相談をしに行って、ひとり俺の相談員になってくれた人がいたんですよ。「なんか障害者の活動に関わりたいんだけど、何かいい団体ありますか」ということでいろいろ相談したら、紹介されたのが、当時ほんと珍しかったんだけど、在宅障害者の会っていうのがあったんだよね。

名前が「蜂の会」。虫の蜂。なんで蜂の会って言うかというと、蜂って力学的に言うと（航空機の理論にあてはめると）飛べるはずがないらしいんだけど、羽を動かしてその力学（航空機の理論）を突破したと、だから力学的にはありえない蜂が飛んだっていうことで、障害者も飛ぼうよ、という意味を込めて「蜂の会」ってしたらしいんだけど、そういう会を紹介されたんですよ。

「蜂の会」規約には、次のようにある。

私たちは重度在宅身障者を中心に据え、軽症者、一般健全者との強い協力体制のもとに、生活の向上の確立を目指します。その友愛を基盤に、私たちが抱えている実態をあらゆる方法で掘り起こし、その喜び、哀しみ、憤り、祈り、願いを注意深く、大胆に自らの内と外へ投げかけてゆきます。

（『蜂』臨時増刊第二号）

七八年に（東京に）来て、二ヶ月後に親父が癌だって言われた、たまたまその月（八月）に、「蜂の会」に入ったのね。いろんな在宅障害者が、自分でどうやった生活をしてて、家族の関係とかも含めて、道具も利用してるとか、今出てる道具を使って体をどう動かしたり、自分で動きやすいような工夫してるとか、そういうような話をメンバー同士で交換し合うみたいなことをやってたんですよ。

そういう会に入って、みんなすごいなと思い始めて。事務局とか会長さんがいたんだけど、まるで雲の上のような人だと思って、出会ったわけね。……同じ世田谷だからって、構わず（自宅に）お邪魔してたこともあったりしてさ。もちろんもう二人とも亡くなってるんだけど。

（「蜂の会」で）本も出してたのね、月刊誌ってか、交流誌っていうかさ、メンバー同士の情報誌みたいなものをやってて。メンバーの中で、その情報誌の編集局長をやってたのが、Ｆさん※8っていう人だったのね。毎月一回はメンバーの車で送り迎えしてくれてたんだよね。一ヶ月に一回くらい会合やってたもんだから。メンバーの一人が自家用車でメンバーを拾ってくれて、今でもあるけど、港区にある東京都障害者福祉会館、そこがだいたい会合の場所で、迎えに来てくれた車に乗っけてもらって一緒に行ってたんだけど、隣り合わせで、さっきのＦさんも乗ってたんですよ。

上田さんはＦさんを通じて、「世田谷ボランティア連絡協議会」に関わっていくことになる。

世田谷ボランティア連絡協議会

「世田谷ボランティア連絡協議会（以下、世ボ連）は、澤畑務さんと碓井英一さん、宮前武夫さんという三人の出会いから始まった。澤畑さんは、東京都民生局（現・福祉保健局）に入り、児童館の職員として勤めながら、「放し飼いの公務員」として様々な活動をしていた。碓井さんは、日本で最初にできた養護学校である光明養護学校（現・都立光明学園）出身の障害当事者で、「在宅障害者の問題を考える会」の活動をし、短歌を通じて障害者同士の想いを発信していく同人誌をしていた。宮前さんは、明治大学でボランティアサークル「心身障害者福祉会しいの実」に所属していた。

「世田谷にどういうグループがあるか、最低限お互いに知ろうぜ」という想いで、澤畑さんは世田谷区内の福祉団体を調べ、片っ端から声を掛けていったという。こうして澤畑さんと出会い、ともに活動を広げていったのが、上記の二人だった※9。

この三人が中心となり、社会運動に関心のある若者たちに声を掛け、「世ボ連」を作っていった。「世田谷の福祉風土を自分たちで作っていこう」というのが、会のキャッチフレーズだった。「雑居まつり」をはじめ、「けやき学級」（障害者と健常者が交流し合う場）、「手話の会」「家族の会」「障害者の家族の会」「木曜青年学級」など、その活動は多岐に渡った。

雑居まつりは、当時専修大学の学生だった濱屋郁夫さん※10が言い出しっぺだったという。「世ボ連」のたくさんの活動を集約する年一回の一大イベントで、現在まで約四〇年間続いてきた。碓井さんは「世ボ連」と雑居まつりについて、次のように表現する。

地域での運動を進めているおよそ三五ほどの団体と個人によって、世ボ連は構成されており、思想や立場、環境を超えて、だれもがゆたかで明るく生活していける、明日の地域社会をめざし、みんなが理解しあえるようにという願いから、出会い、ふれあい、語り合う「場」をつくる運動をしています。

……そうした日常活動の集約として、一〇月中旬に開催される「雑居まつり」があるのです。雑居まつりの「雑居」とは、自分を含めた地域社会のありのままを表現した象徴語であり、さまざまな立場や境遇の人たちが、まつりという楽しみのなかから、さまざまに出会い、ふれあい、語り合いの輪もひろげ、そこから地域ぐるみ相互に協力しあえる、風土をつくっていく土台にしていこうとするものです。

（『ちいき活動　世田谷区ボランティア連絡協議会　六周年記念誌 no..2』五頁）

その活動のひとつに、「世田谷福祉マップをつくる会」があった。「障害者」をはじめ、誰もが暮らしやすい街をつくっていくために、ガイドマップの制作や街の調査と行政への提言などの活動をしていた。仙台に端を発したといわれる「街づくり運動」が、東京でも「町田ガイド」等の車いすで街を歩くためのガイドブックを生み、世田谷にも、ガイドマップづくりの気運が高まっていた。

活動の一環として、「学校の生徒たちに車椅子を一日体験してもらおう」というイベントがあり、上述したFさんも携わっていた。Fさんから「上田さんも来てもらえないか」と誘われて、このイベントに足を運んだのが、上田さんが「世ボ連」に関わるきっかけとなった。上田さんが三一歳、東京に移った翌年のことだった。

七九年だったかな、秋にそのイベントがあって行ったら、さっき言った「世田谷ボランティア連絡協議会」の創立者の一人、碓井英一さんっていう人に出会ったのが、僕の活動の大転換の出会いだったという。その人に出会ったおかげで僕の人生ここまで来てしまいました。すごい人だったんだよね。

何が「活動の大転換の出会い」と上田さんに言わせるほどの影響を与えたのだろうか。上田さんは施設に入所して、いらない存在として障害者が社会の中で置かれた立場を痛感していた。「障害者の活動」に関心を持ったのも、そうした理由からだった。

しかし、具体的に何をどうすればいいのか、上田さんは悩んでいたのだろう。当時の障害者運動において大きな影響力を持っていた「青い芝の会」の活動に対しては、「ちょっとここまでやることはないだろうけど」と考え、全面的に賛成していたわけではなかった。また、施設やもとの家を出て住みたい家に住むだけ、ということにも留保を付けている。その意味で、在宅障害者の会である「蜂の会」の活動も、当時の上田さんにはどこか腑に落ちなかったのだろうか。

ただ効率化してね、ただパルテノン（上田さんが入居しているマンション）の三階に俺がいて、どんな二四時間介助者入れて生活してるってことをみんなに伝えないで、ただ生きてるだけだったら、施設の居場所がただのマンションの一室に変わっただけってなりかねないっていうことで、できるだけ地域、ここの周りの人たちと交流して行こうと思ってやってきた。自由にはなったけど、ただ孤立してくらしても地域なのか、って俺なんか言いたいんだけど。

そこで、碓井さんたちが立ち上げ出した、「障害者自身が我々の住んでいる町や地域をつくっていこう」っていうキャッチフレーズを見聞きして、あ、これすごいなと、まさに重度障害者施設の対案みたいなことに思えたわけね。いろんな人が集まってるところに行ったら、たまたま障害者がいて（という地域の在り方）。

当時は家族と一緒だったんだけど、住みやすい街を俺たちが作って行こうっていう想いに触れたのが、のめり込んだきっかけです。

碓井さんが目指していた活動の方向性は、そんな上田さんにとって、まさに施設の対案に思えたのだろう。つまり、碓井さんとの出会いによって、上田さんは、自らの進むべき道を明確に定めることができたのだった。

この「世ボ連」の活動について、碓井さんが一九八一年に書いた文章がある。タイトルは「よりよき明日の地域社会をめざして」。

現在、障害者が地域で生活していく運動が、さかんになってきました。大規模な施設に収容されることの悪影響がもたらした、当然の帰結と言えましょうが、逆説的にいえば、老人や障害者がいない地域社会（間接的には切り捨て社会を意味しますが）こそ、アブノーマルな社会だといえましょう。さまざまな思想や宗教、あるいは価値観によって、さまざまな生活を営んで、地域社会を形づくっているなかに、ごくあたり前に老人や障害者がまじっている、そんな地域社会がもっとも自然な形なのではないでしょうか。

…（中略）このように考えるならば、障害者自身の問題でありながら、隣接する多くの問題を考えねばならないわけで、単なる障害者福祉から地域住民としての広範なコミュニティづくりに、発展させていくことが強くのぞまれます。
…（中略）そこでは、障害をもつ人ももたない人も老人も子どもも、すべて地域を構成する一人の人間として、それぞれの場を通して、地域の問題をなげかけ、私たちの街を、私たちで創り、守り育てていこうと、それぞれが思い思いにアピールしています。そして、この輪をひろげあうことが、地域社会の明日をつくりささえあう住民自治につながり、障害をもつ人も、自他ともに、地域を構成する一員としての意識が確立していくことと思います。

（『ちいき活動 世田谷ボランティア連絡協議会 六周年記念誌』一―五頁）

障害者が住みやすい地域を障害者自らが作っていくっていう論理の中で、地域ってほんといろんな人が住んでるわけですよ。男もいれば女もいて、高齢者もいれば子どももいて、外国の人もいる、そういうごちゃ混ぜの中で障害者が生きていくこと自体が、いろんなことを目の前に見ることもできるし、逆に見られることもあるわけ。そういう中で介助者入れて生活していくこと自体がノーマルな社会だということを、お互いが経験し合うみたいなところからやってったことで、施設が一番マイナス面であった、障害者を健常者が管理しやすい場所ではなくて、違いを認めつつお互いの自主性を作っていくということで、本当の意味で障害者が生き生きと生活できる場ができるのではないかと、そういう想いで活動始めたんですよね。

ハンディキャブ

上田さんが参加した「世ボ連」の活動のひとつに、「世田谷ハンディキャブ運営実行委員会」という活動があった。これは、「障害者」や高齢者の地域生活における交通の問題を改善していくために、ハンディキャブという乗り物を広めようという活動だった※11。

その会を立ち上げたのは、矢田茂さん*12っていう、もともと舞踏とか舞踊とかそういうものの舞台監督やってた人なの。その人が、ある時舞台から落っこちゃって、下半身麻痺になったそうで、移動できなくなったから、アメリカへ渡って、自分で学んできて、ワゴン車、ハイエース、あの車にリフトを付けて車椅子乗ったまんま移動できるっていう車（ハンディキャブ）をトヨタに作らせちゃったの。NHKの厚生文化事業団ってのがあって、そこで全国に（ハンディキャブを）何台か寄贈していったっていう歴史があって。その一台を世田谷でもらったのよ。八〇年くらいに。その車すごいいいなって思って、僕もその運営のメンバーに入ったのね。

ある時上田さんは、両親の体調が少し優れなかったため、姉家族に「まさか俺まで面倒見てもらうわけにいかない」ということで、緊急介護システムという、誰も介助することができない障害者が入院して、ヘルパーに介助してもらう東京都の制度を利用した（現在では、各市区町村による類似の制度として「緊急一時保護事業」または「緊急短期入所」が実施されている）。その時、隣のベッドに入っていたのが、現在、NPO法人「日本障害者協議会」の理事兼政策委員長を務めており、今でも日本の障害者運動の代表的な人のひとりである太田修平さん※13だった。

碓井さんに出会ったおかげでいろいろな活動に入っていって、いろいろ面白いことやってた時に、さっき言ったその太田修平さんと隣り合わせで二ヶ月間過ごしたんだよね。その時に、ハンディキャブっていう車があって、車椅子のままでリフトに乗って移動できるということを（彼に）僕が自慢で話した。家からその病院にその車で行った事もあって、実際に見てもらって、こんな事今世田谷でやってるんだけどって自慢げに言ったつもりだったのが、彼から、「上田さんそれって必要悪じゃないですか」という言葉を言われたのね。最初、「え、なにそれ?」って言ったこともあるし、考え始めたんですよ、なんでそういう事を言うのかと。

はたと思いついたのが、公共交通がちゃんと乗れればさ、そんな車必要ないでしょと、彼は言いたかったらしいのね。そこから、俺これやってみようかなと、かすかに思ったのが（公共バスの問題に将来取り組む）きっかけなんですよ。

太田さんと出会ったのは、碓井さんと出会った年と同じく、上田さんが三一歳のときのことであった。上田さんは、その後様々な経験を経て、一三年後に公共バスの問題に取り組んでいくことになる。この出会いは、いわば最初の一石であった。

夜と夜の夜

上田さんが碓井英一さんと太田修平さんに出会った翌年、「黒テント」が空き地を貸してほしいと「世ボ連」に話を持ってきた。「黒テント」とは、一九六八年に「演劇センター68」として発足し、一九九〇年に改称した劇団である。

空き地というのは、現在の羽根木公園（世田谷区代田）がある土地のことで、当時まだ公園予定地で、何も手が付けられていない石がボコボコあるようなフリースペースだった。その空き地で「夜と夜の夜」（佐藤信・作、一九八一年）演劇公演と「太陽の市場」というミニ雑居まつりをやりたいという話だった。

「太陽の市場」は、「団体同士の交流もしながら、いろいろ演劇をやりたい」という「黒テント」側の要望から、面白そうな団体を集めて、お互いについて話し合っていく場として開催することになった。「世ボ連」が始めた「雑居まつり」がアイデアのもととなったため、「ミニ」雑居まつりと呼ばれていた。

「世ボ連」としては、「黒テント」との関わりは、「演劇を軸としてあらゆる形での参加をひろく呼びかけ、私たちの地域での活動をより実りあるものにしていくための、重要な活動のひとつ」という位置づけだった。

地域社会の中で、老人や子どもや障害者や健常者、全ての人々が参加できる場として、黒テント68/71の考える「演劇」は恰好の手段となりうるものだということを、私たちは身をもって体験しています。学校教育等ではなかなか補うことの難しい社会教育を促進させ、地域住民相互のコミュニケーションを通じてより豊かなコミュニティを形成するために、私たちはこの活動を持続し、発展させなければならないと考えています。

（『太陽の市場』二九頁「黒色テント世田谷上演実行委員会企画書」）

「黒テント」が、「夜と夜の夜」演劇公演と「太陽の市場」の話を碓井さんとしていたときに、偶然、上田さんもその場に居合わせた。そこで、碓井さんから「上田くんも参加してみたら」と誘われたのだった。

「太陽の市場」のプログラムのひとつとして「黒テント」が提案していたのが、演劇ワークショップだった。これは、ひとりひとりが、お互いの悩みや問題、楽しかったこと、嬉しかったことなどを紹介し合いながら詩にまとめ、その詩をもとに演劇を作っていくという手法であるという。

「あれ、もしかして、これ障害者が入ってやったらどうなんだろう」と思って、俺個人で企画書を書いて、出したのよ。そしたらすっごいみんなウケてくれて、面白いじゃんって話になって、そこで三つか四つのグループごとに、障害者の一日みたいなところで演劇ショートストーリーができたんです。それを「夜と夜の夜」の公演の前座でやったわけですよ。三つの演劇をね。

上田さんが、演劇ワークショップの参加にあたって記した文章がある。

〝せけん〟しらずのわたしたち
みなさんは　わたしたち　ざいたくの　じゅうど　しょうがいしゃと　その　かぞくのひとたちが　いま　どのような　せいかつを　しているか　ごぞんじでしょうか。　ひとくちに　しょうがいしゃと　いっても　たしゅ　たようですし　おもい　かるいの　くべつも　げんみつには　つけにくいと　いっても　かごんでは　ありませんが、　すくなく

とも　ほんにんだけでは　ひびの　せいかつが　なりたって　いかない　ような　しょうがいを　もっている　にんげんは　じゅうどの　しょうがいしゃだと　いっても　いいとおもいます。　たとえば　わたしは　いま３２さいの　だんせいで　あるにも　かかわらず　あさ　おきることから　よるの　ねることまで　じぶん　ひとりで　なしとげられると　いうことは　ごく　わずかしかなく　せいかつの　すべての　ぶぶんに　わたって７０さいを　こえた　りょうしんに　たよっている　じょうたいです。　もし　りょうしんの　うちの　どちらかが　びょうきなどで　たおれたら　おふろに　はいる　ことなどは　あきらめなければ　なりません。　３２さいの　だんせいが　としおいた　りょうしんに　いきていくこと　すべてを　たより　まかせて　いかなければ　ならないと　いうのは　せけんの　じょうしきと　いうものから　みれば　ほんとうに　いじょうだと　いえるでしょう。　しかし　げんじつには　その　いじょうと　いえる　せいかつを　つづけようと　ほんにんは　もちろん　かぞく　ぜんいんが　そうとうの　むりを　しながらせいいっぱいの　ひびを　せいかつして　いるのです。　しせつなどに　はいれば　かぞくの　ふたんは　かるくなりますが、　いまの　じょうたいでは　よほどの　ことが　ないかぎり　おもいどうりには　はいれないのが　じじつです。　では　げんざい　あるような　いわゆる　しゅうよう　しせつと　いわれる　ものを　どしどし　ふやせば　かいけつ　するのでしょうか。　わたしたちは　とにかく　まず　ひとりの　にんげんとして

うまれて　きたのですから　とうぜん　ひとりの　にんげんとして　いきて　いきたいのです。

ひとりの　にんげんとして　いきていくと　いうことは　どんな　いきかたを　いうのでしょうか。　いま　じぶんが　すんでいる　ちいきの　ひとたちと　おなじ　けんりとぎむの　すべてを　わかちあって　せいかつして　いくことが　その　きほんでは　ないかと　わたしは　おもいます。　かんぜんなる　ちいきしゃかい（ふくし　しゃかい）とはいかなる　じゅうみんで　あろうと　ひとり、ひとりが　もんだいなく　そのような　せいかつを　していける　ような　しゃかいでは　ないでしょうか。

そのような　かんてんから　げんざいの　しせつと　いわれる　ものを　みると　けっして　〝けんりと　ぎむの　わかちあい〟と　いえるような　ものでは　ありません。　そこには　ただ　あたえられる　だけの　どうぶつてきに　いきていると　いえる　せいかつしか　ないのです。　ざいたく　じゅうど　しょうがいしゃの　なかまたちの　おおくの　ひとたちが　しせつ　にゅうしょを　きょひし　たとえ　はいったと　しても　だいぶぶんの　ひとたちは　じぶんから　このんで　はいったと　いうひとではないと　いわれる　げんじつは　この　あたりから　きているのでは　ないかと　おもわれます。　ちいきの　じゅうみんとして　かぞくに　ふたんを　かけないで　せいかつして　いこうとすれば　ぎょうせいがわの　きょうりょくは　もちろんの　こと　じゅうみんの　みなさ

んの　えんじょも　あるていど　あおがなければ　なりません。　と　いうことは　わたしたちの　ことを　まず　みなさんに　りかいして　いただかなければ　なりません。この　りかいすると　いう　ことばは　けっして　いっぽうてきな　いみを　もつものでは　ない　はずです。　おたがいが　おたがいを　〝しりあい〟〝わかりあい〟〝みとめあう〟ことが　せいりつして　はじめて　かんぜんに「りかい　しあえた」と　なるのでは　ないでしょうか。　おそらく　だいぶぶんの　の　みなさんが　わたしたち　じゅうど　しょうがいしゃの　こういった　じったいを　ごぞんじないのと　おなじように　わたしたちも　いわゆる　〝せけん〟と　いうものを　しらないと　いっても　いいと　おもいます。　これまで　とかく　じゅうどと　いわれる　しょうがいしゃほど　かぞくのひごの　もとに　しゃかいから　かくりされ　つづけ　しょうがいしゃ　じしんも　そのいじょうさを　みずからが　かきかえて　いく　どりょくを　おこたった　ことなどがせけん　しらずの　しょうがいしゃを　つくってきた　おおきな　よういんの　ひとつにあげられます。　せけん　しらずの　わたしたちと　わたしたちの　じったいを　ごぞんじない　みなさんとが　どうやって　りかい　しあって　いったら　いいか、　こんかいわたしが　この「たいようの　いちば」に　さんかする　いぎを　ここに　もとめて　いきたいと　おもいます。

（『太陽の市場』九七―九九頁）

この意義を、上田さんは「曝け出すこと」に見い出していった。

自分を曝け出さないと地域に根付いていけないという意味で、発想の転換になったんですよ。最初は抵抗があったけど。演劇では、みんなが観てる、みんなが注目してるんですよ。しかもインド（同時上演していた南インドの芸能ヤクシャガーナ）を観に来た人たちに向けてやっちゃったのね。何これ？という、きょとんとした顔をしてたわけ。いきなり前座でやったから。それがね、余計面白かった。反応も、みんなで（演劇を）作っていったことも。

街中を出歩いても、周囲の人たちに見られているかどうか、わからない。しかし舞台の上では違う。すべての観客が注目している。自分と自分の身体を「曝け出す」ことの最たる例である。それによって「私たちの実態をご存知ないみなさん」はその「実態」を目の当たりにする。「世間知らずの私たち」はその「世間」を知る。

こうして「一方的」ではなく、「お互いがお互いを〝知り合い〟〝分かり合い〟〝認め合う〟」ことによって「理解し合う」、その第一歩を上田さんは踏み出すことができた。この一歩は、碓井さんの言葉を借りれば、「さまざまな思想や宗教、あるいは価値観によって、さまざまな生活を営んで、地域社会を形づくっているなかに、ごくあたり前に老人や障害者がまじっている、そんな地域社会」に連なるものである。

（観に来た人たちが）理解してくれたかどうかはわからないけど、芝居やったメンバーがすごいウケて、面白いなということで、「夜の夜と夜」上演実行委員会の中で名前を変えて、いつの間にやら「太陽の市場」実行委員会になっちゃったのよ。

こうして上田さんは「黒テント」のメンバーと関わっていくことになった。演劇ワークショップの活動はその後も続き、上田さんは活動の一環でフィリピンにも足を運ぶ機会があった。もともと「黒テント」は、フィリピン、インドネシア、マレーシア、シンガポールなどと交流を持ち、演劇ワークショップを学び育んできた。日本からフィリピンに演劇ワークショップをしに行くというのは、逆輸入であった。

八七年だったよな。八八年だったっけ。三〇年前のことだから（笑）。日本から、逆にフィリピンに行って、フィリピンの状況を見たり聞いたりしながら、最後に我々の作った、我々って言ったって向こうのメンバーも一緒に、だから二〇人以上いたと思うけど、演劇一本やって、現地の人たちに見てもらおう、ということで、車椅子で俺一人が参加して行ったんです。五月だったかな。

フィリピンでは、様々な経験をした。そのいくつかを、上田さんは懐かしそうに語ってくれた。

スモーキーマウンテンっていう、ゴミの山から子どもたちが使える道具を探して、それを売って生活の足しにしてるとか、農村や漁村に行って取材して歩いたんだよね。農村や漁村に行って現地に泊まらせてもらって、一緒に一夜を共にするとか。

農村に行ったときに、近所の子どもたちが一緒に遊びにきて、一五、六人いたかな。ろうそくを真ん中に立てて、その明かりで日本の歌とか遊びとかを伝えてみんなで遊んだとかね。あと漁村に行って、漁村で海岸をずっと俺の車椅子を現地の人が担いでくれて、散歩したり。

最後の日に、こっち帰ってくる日にその演劇を、なんと漁船が停まれる波止場の上を使って演劇して、みんなに見てもらって、その日に帰ってきたっていう。行った島がネグロス島。そんな旅行も、旅行だよね完全に（笑）。そんなこともあったりして。ほんと今でも、いい経験だなと、思ってるけど。

※8　Fさん：「蜂の会」以来の上田さんの障害者運動の仲間であり、上田さんが「世ボ連」と関わるきっかけを作ってくれた人でもある。世田谷区在住の女性。

※9　東京大学大学院総合文化研究科・教養学部相関社会科学研究室『ネットワークと地域福祉二〇〇三年度 世田谷区調査 最終報告集』「澤畑勉さん インタビュー」による。

※10　濱屋郁生さんは大学在学中に碓井さん、宮前さんと出会い、アルバイトの傍ら世ボ連で活動、養護学校卒業生の福祉作業所づくりや親の会に関わった。「雑居まつり」のウェブサイトに、碓井さん、宮前さんと澤畑さん、濱屋さんのインタビューがある。
http://www.zakkyo.jp/message/message2

※11「肉親以外の知り合いに付き添い（介助者）をお願いすることができればもっと外へ出る機会を多く持てると考えられます。／このような直接的な要求を満足させながら、ハンディキャップを持つ人やお年よりの毎日の生活にかかわる基本的要求を地域のみんなが自然なつき合いの中から保障していくそんな福祉風土を持った街づくりをこのハンディキャブを地域の中で運営運行することにより、みんなで考えていけるはずです。」『ちいき活動 世田谷ボランティア連絡協議会 六周年記念誌』一〇七頁。

※12　矢田茂さん：ダンサー・演出家として活躍後、事故により車椅子生活となり、「新宿福祉の家」代表になる。一九七七年メーカーに呼びかけ福祉車両ハンディキャブを開発、全国普及キャラバンを展開。上田さん「ミニキャブ区民の会の発足イベントの時にお会いして、『やってもらうばかりではなく、やってあげる人になりなさい。』と言葉を掛けてくれたことを今でも思い出します。僕が公共交通に携わるきっかけを作ってくれた大事な方でした。」

※13　太田修平さん：上田さん「一九七九年頃に病院の一室で二ヶ月ぐらい一緒に生活した後、八年後碓井さんの代わりに障害連の役員になって事務局会議に顔を出してみたら彼がいたので、こんなところでまた会ったかとお互い苦笑いでした。」

4　みんなと、ひとりで生きていく

太陽の市場

演劇が終わって、これもう一回そのグループでなんかやろうよって話になって。「太陽の市場」っていう名前の組織ができた。その後は、フリースペースのあの羽根木公園の下の場所（公園の丘の南斜面）使って、イベントやってたりしたわけですよ。歌とか踊りとか演劇とか。そこで、集まってきた「黒テント」のメンバー何人かに声かけて、「僕の介助もしてくれ」と頼むようになったのね。その最初に入ってくれたのが、林忍っていう人だったんだよ。もう一人「黒テント」のメンバーだった及川均さん※14っていう人も、同時期に介助に入ってくれたんだけど、その彼が、去年札幌に行ってお世話になった方なんです。

「太陽の市場」の活動のひとつで思い出深いのは、羽根木公園の近隣の場所を代田っていうんだけど、太平洋戦争中は羽根木公園の上空に米軍の飛行機が飛んできたのを、撃ち墜とすための高射砲があって、撃ち落とした飛行機（の戦闘員）が落下傘で降りてきたみたいな話があったりね、そういう事を聞き書きしたやつを演劇にしたこともあったんだよ。

あと八三年に「アジア民衆演劇祭」、ＡＴＦをやって、「太陽の市場」として主催して、たしか五ヵ国ぐらいの役者というか人たちとそこで集まって、日本の全国のいろんな問題を抱えているところに、外国の人たちと日本の人たちが一緒に取材して、それをまとめたものを羽根木公園で演劇として公演したんだよ。結構あれ面白かったけどね。その事務局を、林さんと二人でずっとやってたっていう、そんなこともあったりしてね。ＡＴＦで出会ったのが、今でも介助してくれてる津留さん※15だった。まさかこんな長いお付き合いになるとは思いませんでした。

次第に「太陽の市場」は、上田さんの居場所であり、生活の場であるような場所になっていく。

「太陽の市場」をやり続けようという事で二、三年、本を出したり、演劇をやったりしたりしながら、なんか面白い事をやり始めたわけですよ。碓井さんの持ってたアパートもしばらく借りてね、そこで「太陽の市場工房」っていう名前で。僕も暇があればそこに通ってていたんだよ。林忍さんもそこに半分常駐してるみたいな作業所、というか工房をやり始めたんだ。その頃、もう親父が癌でちょっと危ない状況だったっていうこともあって、家にいても邪魔するだけだったので、行くところもないから生活の半分の場所みたいなとこにもなってたわけですよ。

エド・ロング、HANDS世田谷

一九八二年、「太陽の市場」の活動に並行して、上田さんが初めて先頭に立って組織を運営する機会があった。八一年の「国際障害者年」に関するイベントを世田谷でも開催してほしいと、「世ボ連」に厚生省から話が来たのだった。

この頃、アメリカのバークレーやボストンで自立生活運動(IL運動:Independent Living)が始まっており、それを日本にも導入しようと、「国際障害者年」に関する日本各地のイベントのためにアメリカから数名を招待していた。そのうちの一人にエド・ロングがいた。エド・ロングは、筋ジストロフィーのため、車椅子で生活する重度身体障害者であり、ボストンの「自立生活センター」で障害者のサポートを行うカウンセラーでもあった(渡辺一史『こんな夜更けにバナナかよ』一六八頁)。彼を招いて世田谷で講演会をしないか、という話が来たのだった。そして上田さんは、碓井さんから「(この講演会を)上田くんなんかやってみないか」と声を掛けられたのだった。

七〇年代から活発となった障害者施策の推進をさらに加速させ、各国の取り組みを求めるため、一九七六年一二月の国連総会において、一九八一年を「国際障害者年」と定め、「完全参加」をテーマとすることを宣言した（七九年の国連総会で「完全参加と平等」に改定されている）。

俺もまたこの性格なんで（笑）、じゃあやりましょうかということで、自立生活っていうところの基礎的な部分を、世田谷の仲間の中で考える場を作ろうかなと思って。

しかし、仲間集めに難航した。「世ボ連」の内部で対立が起きていたためだった。それ以前から、養護学校義務化の反対運動や梅ヶ丘駅の改善運動など、障害者運動が活発だった。「世ボ連」の中で、小佐野彰さん※16や横山晃久さん※17など、自立生活を実践していたグループが、介護人派遣事業の改善を求めて行政交渉をしていた。この行政交渉は、近年世田谷区で認められた二四時間介助保障の獲得へとつながっていく。

この交渉の最中、行政職員が差別発言をしてしまった。それに対して、「障害者」側は役所の前で三日間の座り込みを決行したのだが、「世ボ連」には行政職員として働く「健常者」のメンバーもいた。対立が激化し、「世ボ連」は分裂しかけていたという。上田さんが「世ボ連」に関わるようになったのは、その後だった。

したがって、上田さんはその行政交渉と座り込みを主導していた小佐野さんをはじめとするグループを、講演会のメンバーとして呼ぶことができなかったのである。

じゃあってことで、世田谷の中の動きは、俺、全然知らなかったからさ、他のそういう動きをしてくれるような人を、周りの光明（養護学校）とか何人か若い元気あふれたメンバーもいたので、碓井さんに紹介してもらったんですよ。（彼らに）参加してもらって、エド・ロング講演会をやったんですよ。ちゃんと成功できた。

これが、上田さんの障害者運動における最初の成功体験となった。

その参加してくれたメンバーをベースにして、これから自立生活していってもらうための勉強会やろうかということで、僕が企画して、「あたりまえの生活を考える会」っていうのをやり始めたんですよ。そこのメンバーのひとりに、山口成子さん※18っていう人がいたのね。絵が好きでさ。光明（養護学校）を出て、絵を勉強しようと思って、武蔵野美術大学を受験したんだけど、障害者だからっていう理由で拒否されたのね。それがまあ悔しかったんでしょう。いわゆる障害者運動に入ってきて、たまたま僕がやってる「あたりまえの生活を考える会」に入ってくれたのがきっかけで、それから仲良くなって。気があったのね。もう亡くなって一八年になるけど、二〇〇〇年に亡くなったから。僕と二つ違いだった。「HANDS世田谷」っていう組織を作った張本人なの、その人が。

現在、全国自立生活センター協議会の会員でNPO法人となっている「HANDS世田谷」のホームページには、初代理事長である山口さんの、次のような団体紹介が書いてある。

どんなに重度の障害をもっていても地域の中で「自分らしく」生活しているよう、様々な試みや活動を行っています。
…（中略）障害者の自立生活は障害を持つすべての仲間たちの問題だと考えて、個人のことだけでは解決しえないことを、自立生活センターという組織を作って解決していきたいと考え、一九九〇年に（自立生活センター）HANDS世田谷を設立しました。

現在は、障害者総合支援法が定める介護給付の重度訪問介護や居宅介護などのサービスを、指定事業者として区から委託されて行うほか、独自の活動を続けている。

上田さんも設立の当初から三〇年近く「HANDS世田谷」に携わり、現在は理事を務めている。上田さんの自立生活を支える介助者も、ここから多く派遣されてきた。私もまた「HANDS世田谷」の登録介助者で、ここから派遣されて上田さんの介助に入っている。

みんなの広場・介助者の死

「太陽の市場」は上田さんにとって、居場所であり生活の場所でもあったが、活動場所であった羽根木公園の近隣の住民から、「あの団体うるさいから公演するのやめさせてほしい」という苦情が世田谷区公園課に入った。苦情に対する抗議活動も行ったが、公園は使用禁止になってしまった。「太陽の市場」の活動はやめざるを得なかった。

一九八五年、上田さん三七歳の時だった。上田さんにとって一大事であった。

それで、さあ困ったなと。生きがいがなくなるや、それは冗談だけど、とりあえず、なんかこのままね、解散するのも悔しいなと思ってたら、その、林が「いっそのこと我々で無農薬の八百屋やんないか」と言い出して「あ、それ面白いな」ということで、だから俺ともう一人主婦だった人と、五月女精子※19っていう名前なんだけど、その三人で八百屋やるようになったわけですよ。それが「みんなの広場」っていう八百屋になったのね。

電動車椅子で弁当配達行ったり、野菜の配達行ったりしてずっと、仕事というかなんというか、これ正直言って、給料は無かったからね、無給でやってたんですけど。楽しかったっちゃ楽しかったし、給料の代わりに、昼間そこに行けば俺の介助はやってもらえた。

ところが、『みんなの広場』は思わぬ結末を迎えることになる。

八九年か、一緒に八百屋やってて、ずっと俺と一緒にいろいろ動いてくれた人（林忍さん）が、「急に俺うんちが出なくなってお腹がおかしいんだよ」って言い始めて、「それは早く診てもらえよ」って言って診てもらったら、睾丸癌ってわかる？　金玉が癌になって、もう手遅れだと言われて。一〇月に発見されて、一二月の暮れに亡くなったのよ。三三歳で、逝っちゃったんですよ。

お店があるからさ、五月女精子さんと俺とで、友だちもいろいろ手伝ってくれたりして、一緒に一年間頑張ったけど、俺もちょっともう体ガタガタで、これ以上続けられないよってことで、九〇年の終わりに正式にお店は閉じました。

突然の出来事だった。それはつまり「太陽の市場」から「みんなの広場」まで続いた活動を閉じるということであり、上田さんにとってひとつの居場所を失うということだった。上田さんも、電動車椅子の事故と身体の変調がかさなった。

僕が社会に出て行けたベースであった電動車椅子を、なぜやめたかも話しておきます。当時のここのすぐ近所に、「都立母子保健院」という、小児科と産婦人科一緒になった都立病院があって、結構評判の良かった病院なんだけど（二〇〇二年廃止）、そこに「みんなの広場」で作った無農薬弁当を届けに行ってたんだけど、ある時運転を誤って、五、六歳の男の子の足を引っ掛けて転ばせてしまったの。

大した怪我でもなくて終わったんだけど、「あれ、おれこんなことやってたら人怪我させて、下手すりゃ殺す場合もある」と思って、「そういう事故起こしたら、今まで何のために活動やってきたのかわけわかんなくなる。命を守るためにやってきたはずなのに、おれが人傷つけてしまったら何の意味もないじゃん」って思って、そこでもうピタッと電動やめました。

この事故に加えて、首の骨のずれが原因の痺れによって、右の手の緊張がなくなって、だらっと手が落ち始めた。医者からは、手術をしなければ「このままいけばいつか全然動けなくなるよ」と言われていた。しかし、「今手術しても、治る確率は五〇％だ」と言われ、治らないのであれば、今痛い目しなくていいと思い、放っておいたのだった。

このままじゃ（体が）動かなくなるよって話があったから、どうせそうなるんだったら今のうちにやめようか、という覚悟も含めてやめたのね。それが八八年でした。だから、八百屋やっている間に、きっぱり電動の運転をやめました。

母の転倒・父の死・自立生活

話は少し遡るが、「みんなの広場」の活動がまだ続いていた頃、上田さんは二四時間介助者を入れて、自立生活を始めるようになった。上田さんが三九歳の時だった。

八百屋やり始めた八六年の次の、八七年に親父が亡くなったんだよね。お袋はお袋で、八六年一二月の二八日に俺のベッドの後ろのカーテンを閉めて降りようとしたら、目の前にあった灯油のストーブにダイビングした状態で、上に落っこっちゃったの。幸い火はつかなかったんだけど、その勢いで、肋骨三本折っちゃったのよ。だから、親父も死ぬ直前だし、頼りのお袋はそんな状態になっちゃったもんだから、急遽二四時間介助入れざるを得なくなっちゃったんだよね。だから二四時間介助生活はそっからです。

もともと上田さんが生活のために介助者を入れ始めたのは、その三、四年前からだった。

上田さんがまだ「黒テント」の「夜と夜の夜」上演実行委員会に関わっていたとき、二四時間介助者入れて生活している「障害者」に出会ったことがきっかけだった。その自立生活実践の中心となっていたのが、介護人派遣事業の改善を求め、また交渉の中での差別発言に抗議して、役所の前で座り込みを決行した小佐野彰さんだった。

彼らも「ミニ雑居（太陽の市場）」、「夜の夜と夜上映実行委員会」に参加してくれるようになったのね。そこで初めて、二四時間介助者を入れた生活をし始めた仲間が目の前にいたわけですよ。それが小佐野彰。

（小佐野彰さんは）光明養護学校在学中に、たまたま家の事情で（実家に）帰れなくなって。たしか実家が茨城だったかな。（彼の）お父さんがマンションを借りてくれて、そこで、いろんな人とのつながりの中で「青い芝」のメンバーも関わるようになって。二四時間介助者を入れて生活をし始めて五、六年経った頃か、八一年に小佐野彰グループに（僕が）出会いました。

その彼、全国で言うと五番目に二四時間介助者（を入れる生活）やり始めたって人だって言われてますが、その周りで、同じ光明養護学校に通ってた悪ガキメンバーだった同じ年代のグループの何人かが、俺もじゃあ二四時間やってみようかということで仲間になって動き始めたときに、小佐野の家に泊まり込んで、自分でいわゆる自立生活を目指した。

結局小佐野のマンションが自立生活体験の部屋になってた。

しかし、彼らと出会った上田さんは、初めから自立生活を考えていたわけではなった。東京に移った当初、「嫌で出てきた施設だけど、東京の施設だったら、少しはあるとは思うけどあんな嫌なことはないだろう」という再びの「美しい誤解」に基づいて、「両親の面倒を姉に見てもらって、僕は東京の施設に入ろうと」考えていたのだった。

ゆくゆくは俺、両親がいなくなったら施設に入ろうと思ってて、世田谷の当時福祉事務所――今は福祉事務所とは言わなくて、障害福祉課っていう課になってるんだけど――っていう部署に、「こうこうこういうわけで施設に入りたいんだけど、何とかなりませんか」と相談したら、「今東京都の中で二〇〇人くらい施設入所の希望者がいるということで、一年間に二人くらいの死亡者が出るので空きが出る」と。「だから入所希望しても、単純に計算すると一〇〇年待たなきゃいけませんよ」と言われて、「あちゃー」と思ってた矢先なんですよ。その矢先にその二四時間介助者入れて生活をしてる人たちに出会って。

彼らは「『自立の家』を作る会」を結成し、介助者を入れて自立生活を実践していた。

さて、私達「自立の家」を作る会は一九九七年六月二二日、光明養護学校を卒業した数人の「障害者」を中心にうぶ声をあげました。これには私たち「障害者」をとりまく厳しい現実をなんとか自らの手で切り開いていこうという強い想いが込められていました。

私達、仲間の多くが現在の社会の中で在宅をよぎなくされ生まれてから一度も家を出ることもできない者もいます。

もし、家の状況いかんによっては収容施設に入らなければならないこともでてきます。また、「障害」が比較的軽い者でも就職できる者は少なく、もしうまく就職できても周囲に自分を合わせるために体をこわしていく者もいるのです。そこで、私達はなんとか自分たちがこの地域でのびのびと生きていくための拠点「自立の家」作りを思い立ちました。

（『ちいき活動 世田谷ボランティア連絡協議会 六周年記念誌』一〇七頁）

「あ、もしかして俺も、できるかどうかわかんないけど、真似しながらやってってってみようかな」と、藁をも掴む気持ちで介助者入れるの始めたのが八二、三年。お風呂とか、外出とか介助を入れ始めた。

二四時間介助者を入れた自立生活を始めたのは、その五年後だった。

八七年に親父が亡くなったんで、その時点でもう完全に二四時間に変えざるを得なくなったという、そういうこともあった。それがきっかけで、今の生活が続いてるわけなんだけど。

二四時間自立生活を始めるにあたり、多くの介助者を探す必要があった。上田さんが私のような学生と介助において関わりを持つようになったのは、この頃からだった。

その、介助者集め始めた年、そういう状態の時に、「ぼらんたす」（学生グループ）の方で介助をやり始めた。多分その「ぼらんたす」が、（もともと）作業所のボランティア活動やってたんだけど。

小佐野グループとかと一緒にみんなで、介助者集めようかっていうことで、手分けして探してたら、横山晃久の家が、駒場の近くだったのね、世田谷代田なんだけど、駒場から歩いて二〇分か三〇分のところなんだけど。彼が（「ぼらんたす」を）見つけてくれて、みんなで会って、「俺たちちょっと介助してくれない？」って言って。

俺がたまたまそんなすごい状態（母親が転倒で入院し、父親が亡くなった状態）だったもんで、ぜひ家に来てほしいと頼んだら、四、五人来てくれるようになって、そっから「ぼらんたす」との関係が始まったんですよ。今年（二〇一六年）でちょうど三〇年で、ようやく卒業できましたが（笑）。

最初から関わっていた（「ぼらんたす」の設立初期からの）メンバーの中で、最後まで残っていたのが上田さんだった。他の初期のメンバーはすでに亡くなったり、辞めたりしていた。「もう若い人たちに受け渡すべきだと思って」、七〇歳の節目に「卒業」したのだった。

このように、上田さんは碓井さんと「世ボ連」との関わりの中で、いくつかの「障害者」の活動に本格的に関わっていった。「夜と夜の夜」はその後「太陽の市場」「みんなの広場」と形と名前を変えて続いていき、上田さんの居場所、生活の場となっていった。

また「夜と夜の夜」で出会った小佐野グループがきっかけとなり、自立生活を始めるようになる。エド・ロング講演会の運営は、上田さんの活動の最初の成功体験となっただけでなく、その後「あたりまえの生活を考える会」へと形を変え、「ＨＡＮＤＳ世田谷」立ち上げのきっかけとなった。

しかし一方で、「みんなの広場」は、活動の大事な仲間であった林さんが突然亡くなったことによって幕を閉じた。二四時間介助者を入れて自立生活を始めたのは、母親が倒れ、父親が亡くなったためであった。活動の楽しさと成功体験を得ていった一方で、何人かの大切な人の喪失とともに、ひとつの中心的な活動が終わり、自立生活を始めていった八〇年代だった。

二四時間自立生活を始めた上田さんは四〇歳を過ぎていた。つまり、おおよそ人生の中間地点に立っていた。その後、自身の大きなテーマと取り組んでいくことになる。

※14　及川均さん：林忍さんに続く、上田さん二番目の介助者。千葉県出身。「黒テント」に感銘を受け入団。同じく団員だった藤沢弥生さんと結婚後、ともに退団し「モケレンベンベ」を立ち上げた。二〇一六年、カフェ兼活動拠点として北海道札幌市で「ほっぺた館」をオープン。二〇一八年八月の上田さん北海道旅行では「約一週間お家に逗留させてくれました」。「モケレンベンベ」ホームページ　https://mokelembembe.sakura.ne.jp/

※15　津留由人さん：上田さん「一九八三年にATFで出会って以来、現在も僕の介助をやってくれていて、もはや運命共同体のような関係です」。

※16　小佐野彰さん：光明養護学校出身。梅ヶ丘駅改善運動後、介助者を入れた自立生活を開始、「たびだち」「在宅障害者の会」「身体障害者介護人派遣制度の改善を求める会」「自立の家をつくる会」（現・NPO法人自立の家）など、世田谷の自立生活運動において中心的な役割を果たす。二〇一五年七月没。

※17　横山晃久さん：光明養護学校出身で、梅ヶ丘駅改善運動、自立生活グループ「たびだち」に続き、介護人派遣制度要求運動、公的介護保障要求者組合運動を展開。自立生活センターH

ＡＮＤＳ世田谷の設立事務局長、代表も務めた。

※18　山口成子さん：光明養護学校出身。ＨＡＮＤＳ世田谷の初代代表。二〇〇一年没。上田さん一家が世田谷に引っ越した当初の家と彼女の実家が近所で、偶然出会ったという。上田さん「光明を出た後、絵を書くのが好きだったのである美大に入学しようとしたら、障害を理由に入学を断られたことで、社会の障害者差別に怒りを覚えたようでした。その後『あたりまえの生活を考える会』に入ってもらって、さまざまな活動を一緒にやって来ました。まるで兄弟のような関係だったように思います」。

※19　五月女精子さん：世田谷の手話サークルの人に紹介されて、「世田谷福祉マップをつくる会」に誘ったのが、上田さんと出会うきっかけだった。その後、親しくなり、「太陽の市場」の活動も一緒にしていた。一方で「あたりまえの生活を考える会」にも参加し、女性のメンバーの介助もしていた。八九年に林さんが亡くなった後、二人で無農薬八百屋「みんなの広場」を続けた一年間を振り返り、上田さんは「当時の彼女と僕は、ある意味、運命共同体のような存在だったと思います」という。

5　バスはみんな乗れないと

乗車拒否

事の始まりは、自宅近くにおけるバスの乗車拒否、というよりも無視だった。「東急バス乗車拒否事件報告集会」の「資料集」の助けを借りつつ、上田さんの語りに沿って辿っていこう。

九〇、八九年だったかな、遊びと勉強両方兼ねて、台湾の障害者が東京に来てて。どういうきっかけだったか覚えてないんだよね。

……「これからどこ行きたいの？」って聞いたら、「成城に行ってみたい」と言うから、「ちょうどバスがあるからバスで行けばいいじゃん」っていうことで近くの停留所に行って一緒に待ってたら、いきなりね、何にもスピードも落とさないわ、何にも反応もなくていきなり行っちゃったのよ。「なんだありゃ」って感じで、東急バスに対して他にもいろいろ嫌な噂があったので、「このやろう！」と思い始めたんですよ。

そのあと、九二年の確か秋の一一月くらいだったかな。渋谷の東急デパートで買い物をして、ちょうど雨が降り始めて、これはまずいなと思って、駅の南口のバス停からこの上町駅まで来ていた渋21という路線のバスに乗ろうとしたわけね。

渋谷はいつものように人通りが多く、その上小雨まで降っていたため、上田さんと介助者である藤原健久さんの二人とも濡れてしまっていた。帰宅するためにバス乗車の列に並んでいたが、長蛇の列ができており、二人は列の一番後ろで、停留所の屋根からも外れた所で、雨に濡れながらバスを待っていた。待つこと五分、バスの乗車が始まった。

上田さんは、藤原さんに「運転手に『車イスの客が一人乗るから』って言ってきて」と依頼した。藤原さんは、運転手の所まで行った。

「車イスやけど、どうしたらいい？」

「あと二~三分位で次のバスが来るから、それに乗ってくれ」

「乗れないの？　ホンマに二~三分で次のバスが来るんやな！」

藤原さんは、運転手の返事を不満に思いながらも、まず行動の主体である上田さんの意見を聞こうと思ったという。また上田さんが雨に濡れたままでいることを心配し、並んでいる人が多くバスが満車になるかもしれないとも考え、とりあえず上田のもとに戻り、「『次のバスに乗ってくれ』と言われた。」とだけ伝えた。

ところが、並んでいる人の半分位は、混雑を予想しそのバスには乗らなかったため、結果的にはバスはそれほど混まなかった。一〇人位の乗客が立っていたが、車イスで十分に乗れるスペースがあった。上田さんと藤原さんの二人は、順番が来てバスの乗降口で運転手と再び対面した。

乗ろうとして運転席まで行って、「乗れますよね？」と確認した途端に、何にも言わないでそのバス発車しちゃったのね。

二人で運転手に「ちょっとホンマに乗せてくれへんの?!」と二〜三回意思表示した。しかし、運転手は、二人と目が合いながらも、少し嫌そうな顔をし、二人の意志を無視して、扉を閉めて発車してしまった。

上田さんと藤原さんの後ろには、まだ二〜三人そのバスに乗ろうとしていた人がいて、その運転手の行動に対して意外そうな表情を見せていたという。二〜三分位後には次のバスが来て、二人はそれに乗り帰宅した。

藤原さんは、二人が乗ったバスの運転手に、「この一台前のバスに乗車拒否をされた。会社に帰ったら誰が拒否したのか調べておけ」と、怒りをあらわにしながら、抗議をした。

いろいろ嫌な思い出があったもんだから、とうとう堪忍袋の尾が切れた。どうなってんの？っていうことで、この日に本社へ電話して。

東急バス本社に電話すると、「事実確認まで一週間くらいかかる」と言われた。すぐに大橋営業所に連絡すると、二時間くらいで助役が上田宅に来訪した。

助役は、乗車拒否を行なった運転手に対しての厳重注意と対応の検討を行ったとしながらも、次のように運転手を弁護した。

「当日はバスの運行が遅れており、運転手は急いでおり、また『あと二～三分したら次のバスが来る』と言ったのであるから、バス側には非がない」

「運転手から、なぜ乗れないのかという、ちゃんとした説明（すぐ後に次のバスが来る）が一言欲しかった」上田さんは助役に抗議した。それに対して助役は口頭で謝罪し、「お詫びのしるしに」と、東急バスの乗車券三〇〇〇円分を渡した。

けれども、上田さんはこの口頭の謝罪に納得しなかった。それは、この乗車拒否が助役の説明するように偶発的なものではなく、体質的なものであることを認識していたからである。藤原さんは、次のように述べている。

「たとえどんなに急いでいたとしても、他の客なら乗せていたはず（現に藤原と運転手との一回目のやりとりの後にも、多くの客が乗車していた）。それを〝車イスである〟ことのみで乗車拒否したのであれば、それは明らかな差別である」

多少時間がかかっても、団体対団体で、十分に事実確認を行い、東急バスに事実を認めさせること、これから同様の事態を再発しないように、会社の体質を改善するため、謝罪の意を表したなんらかの文章を提出してもらうこと、そのために今後東急バスに働きかけてゆくことで、上田さんと藤原さんの二人は合意した。


あくる日に（東急バス側が改めて）謝罪に来たと思うんだけど、

上田さんと藤原さん二人は、東急バスに公式の謝罪文の公表を要求した。しかし、東急バスはこれを拒否する。

「一企業だけに文句を言われても、どうしようもない」

「乗客の安全のために、運転手は運転席を立たなくて良いという規約になっている」

東急バス側はこのように主張した。

これらの発言を受けて、この乗車拒否が、運転手の個人の資質の問題でも、偶発的な問題でもなく、会社の体質の問題であることを、上田さんと藤原さんは確信した。

「バスに乗るのは『権利』であるはずなのに、『善意』でしかバスに乗れない、という障害者の現状を分かってほしい」

上田さんは前回受け取った三〇〇〇円分の乗車券を返却した。

東急バス闘争の始まり

上田さんは、東急バス側の謝罪に納得できなかった。会社の体質の問題である以上、一営業所と話し合っていても意味がなかった。

それじゃ埒あかないっていうことで、東急バス本社に対して、俺とか、乗車拒否にあった介助者も怒りまくってたんで、二人（僕と介助者）で東急に対して闘争始めたんですよ。最初東急バスの管理課の課長と三人で、二、三ヶ月くらいお互いの意見を出していたんだけど、三回か四回目くらいに、課長が「上田さんあれは乗車拒否ではなかったですよ、コミュニケーションのすれ違いだった」と言い出したんですよ。

こう主張する課長に対して上田さんは次のように問いかける。

「運転手は『厳重注意』されたと聞いているので、個人の責任はそれ以上問おうとは思わない。これは個人の倫理性の問題ではなく、企業である東急の公共交通機関としての責任の問題である」

それに対して、東急バスは乗車拒否を認めようとしかなった。

「あの事件は、運転手と上田氏との単なるコミュニケーション不足だ」

「バス運行の時間が遅れている場合、混雑が予想される場合には、客の乗車を打ち切る場合もある」

改めて東急に謝罪文の公表を要求した上田さんは、東急との話し合いを重ねた。それに対して、東急はまたも乗車拒否を「単なるコミュニケーション不足」とし、「次のバスに乗ったのだから、乗車拒否ではない」として、謝罪文の公表拒否を続けた。複数回の交渉を重ねるに従って、両者の問題認識の違いが鮮明化していった。


「はあ？」ということで、完全に物別れになって、このままじゃ納得いかないと思って、その勢いで当時の霞が関の運輸省に行って「こうこうこういうことがあったんだけど、どう思いますか？」と僕一人で訴えた。「そういう問題は関東運輸局っていうのがあるのでそこで話してください」と言われて、二、三回通って話したら、運輸省側も調べてくれて、結局九三年だったかな、東急バスに対して、理由なしに乗車拒否はできないという道路運送法一三条に抵触したということで、改善勧告が出たの※20 ※21。

とうとう（東急バス側も）認めざるを得なくなって、役員が三人ほど家に謝罪に来て、土下座までしたんですよ。

ところが、東急バスはあくまでも「個人的な問題」であるという態度を貫く。すなわち、「対応面においてまちがいがあり」、「一種の乗車拒否」であると認めたが、あくまでも問題を個人の資質の問題とし、これからの取り組みについては、「乗務員の指導を強化する」としか提示しなかった。

話し合いをさらに重ねたところで、東急バスの考えは変わらなかった。「我が社としてはあくまでも、上田さんと藤原さんの（個人的な）問題として捉えている」と繰り返した。「あれは個人的な問題ではありません。障害者全体の問題、また高齢化の問題などの社会的な問題なんです」

上田さんは折れずに訴え続けた。

一方、東急バスは「個人的な問題」として、交渉に参加する人をも制限していく。「上田、藤原の二人のみで来ること。他の人の臨席は認めない。東急バス側も斎藤、木村の二人のみを出す。これは、あくまでも個人的な話し合いの場なのであるから」

交渉は平行線を辿った。

このように両者の立場が鮮明に食い違う中、再び上田さんは東急バスにおいて乗車拒否に遭う。上田さんは、この乗車拒否について以下のように述べている。

これこそが、東急バスの体質であろう。運輸省から乗車拒否を起こした責任として、そういう体質を改善するように勧告を受け、職員の意識向上を図るように努力していますというという言葉を先日の交渉で行った舌の根も乾かないうちにこの事件である。開いた口が塞がらないとはこの事をいうのであろう。今後、前回の事も踏まえた、法的な措置ならびに抗議を行うつもりである。

二度目の乗車拒否を受けた同日、上田さんは東急バスとの八回目の交渉を行う。その翌週、東急バスが上田さんの自宅を訪問する。東急バスは、手土産二つを持参し、乗車拒否の事実を口頭で認め「申し訳無い」と口頭で謝罪した。

上田さんは、「藤原が来るから、少し待っていてくれ」と引き留めたが、東急バスは、一〇分程で引き上げてしまった。その直後に到着した藤原は、東急バスからの手土産を手に、本社へと向かった。東急バスが二度目の乗車拒否について口頭で事実確認を行ったことに対して、不満であることを表明し、文章で提出するように要求し、手土産を突き返した。

「僕は、ただ謝ってほしいと言ってるわけではなくて、解決策をいくつか考えたので、それをちゃんとやろうとしない限り僕は謝られても困ります」と、追い返したんですよ。

最大の要求ポイントが、当時の東京都営バスが、八八年か九年ごろかな、出口のところにリフトをつけて、そこに車椅子を乗っけてリフトを上げて入る、というリフトバスを走らせ始めたのね、東急バス全車両をこのバスに変えろ、という要求を出して。手土産を持って来てたけど、それ全部持って帰らせて。そこからいよいよ東急バスと大げんかの始まりでした。

壁をなくす会

上田さんは東急側の謝罪を受け入れず、団体交渉を始める。一九九三年一二月九日、木曜日。会の発足となる「東急バス乗車拒否事件・報告集会」を開催した。

もうだいたいね、運輸省から改善勧告出たわけだから、半分勝っちゃったようなもんだけど。仲間を集めてグループを作って、仲間のひとりが「障害者の交通権を求め、バス乗車の壁をなくす会※22」（通称、壁をなくす会）っていうめちゃくちゃ長い名前を付けて、七、八人で東急バスと団体交渉を始めて。

「車イス利用者のバス乗車を阻んでいる現在の状況は、まさしく人権侵害であるとの認識にたって」、東急バスに対して突き付けた「誰もが当たり前にバス乗車できる措置等を求める要求書」の要求項目は、以下の内容である。

一、一九九二年十一月二十八日、一九九三年一二月三日の二度にわたる乗車拒否に対し、
　これからの決意を含めた謝罪文を公表せよ。
二、誰もが当たり前に乗車できるよう、全車両をリフト付きバスにせよ。
（一）現在の貴社におけるリフト付きバス導入に関する検討・計画について明らかにせよ。
三、上記二が実現するまでの間の暫定的措置を具体的に設定せよ。
（一）車イス利用者のバス乗車を阻むような内容の業務規定は即時撤廃せよ。
（二）車イス利用者のバス乗車の際の介助事故等に関する補償を実施せよ。
・事故時の責任体制の明確化、等
四、車イス利用者のバス乗車を阻む内容をもつ「昭和五十三年度運輸省通達」の改正を、
　我々と共に運輸省に要求せよ。

でも、東急側がずっと最後まで言ってたのが、「我々は団体交渉はしない、上田要さんとだけだったら話し合う用意がある」と。

それ（個人的な問題として扱うこと）はおかしいだろうと、東急バス本社前でメガホン使って、抗議行動をしたり、渋谷の南口でビラを撒いたりやってたんだよね。闘争って言えば

闘争なんですけど。

それが効いたんだろうと思うんだけど、九四年かな、東京都南部の民間事業者の中で、東急バスが初めて、俺が乗車拒否受けた路線にリフトバスを入れたのよ※23。三年間に二台入ったかな。

二台入ったから、じゃあ良かったなと、俺が動いた結果このバスが入って、俺としても少しは満足してもいいかと思ってたんだけど、ベビーカーとかはね、使えないっていうのもともとわかってて。

ある時、この路線の始発着の、銀行の横の停留所から乗ったんだけど、それを見てた足の不自由な人が、僕もこれを使わせてくださいと言ったら、その運転手が「このバス、このリフトは車椅子の人だけ用の装置なのであなたは使えません」と言われたの、俺目の前で見たわけね。「あれ、俺みんなの公共交通というお題目でやってきたにも関わらず、なんかこれって変じゃないかな」って、思い始めたのね。

リフトバスが走り始めた頃に、上田さんは「壁をなくす会」の会報に次のように記している。

私は、広島県の瀬戸内海に浮かぶ、とある島で育ちました。その島の交通機関といえば、本土に通う定期船と、島内を巡回する公営のバスと数台のタクシーだけでした。小さい頃は両親に負ぶわれて、いろいろなところへ出かけた記憶がありますが、身体の成長につれて車椅子に乗る機会が多くなるにつれ、遠出の外出が少なくなってきました。学校を卒業した後一〇年近くは、家の外に出ることさえも月に一〜二回程度しかありませんでした。

その後、電動車椅子を利用するようになり、徐々に自分で外に出ることに自信が持てるようになってからというもの、自分の生活を自らがつくっていくという事もできるようになってきました。そして、「障害」とは自分や家族だけの問題ではなく、「社会」の問題だという事がわかってきました。私にとって自由に外出するということは、様々な意味で「自立」への第一歩にもつながる大変重要なことでした。これは、未だに家族や社会に保護され隔離されている多くの障害者に当てはまることでもあります。

電車への車椅子乗車については、現在曲がりなりにも少しずつではあるものの改善されてきています。しかし、一番身近な公共交通機関であるはずの路線バスには、依然として大きな壁が立ちはだかっています。階段の高さ、入り口の狭さ、乗務員の意識の低さなど基本的な部分が何も変わっていません。

現在（今まで）のあり方を当然のこととし、少しでもその規格に合わないものはすべて排除しようとする姿勢の現れであり、まさにそれは障害者差別の何者でもありません。地域の住民全てが、平等に利用できるというのが公共交通機関の使命であるのならば、その使命を放棄しているといっても過言ではありません。

当たり前の存在としてあるバスに、当たり前に乗れない社会こそ間違っている社会なのです。私たちは、「当たり前」の社会の「当たり前」の交通機関を改めて要求します。

「地域の住民全てが、平等に利用できる」公共交通機関としてのバス、「『当たり前』の社会の『当たり前』の交通機関」としてのバス、それがリフトバスでないとすれば、どんな形があり得るのだろうか。

ノンステップバス運動・再び介助者の死

そんな時、ハンディキャブ運転手で世界各国を歩いているIさんから、上田さんはある勉強会を紹介された。

(「これって変じゃないかな」って)思い始めたその年の秋に、あるところで勉強会があったのね。ヨーロッパで、ローフロアバスっていう床の低いバスが、五、六年前から走り始めてみんなに喜ばれてる、ということで、盛り上がってるっていう報告を聞いたのよ。

「あれ、これ面白いな」と、「もしかして俺が求めてたのはこれじゃなかったかな」と思ってたら、たまたまその明くる年に、それを見に行くツアーがあったのよ。「よし、実際に行ってみよう」ということで、九五年の一一月、一〇月だったかな。

車椅子の人は俺だけだったけど、一二人ぐらいのメンバーで行ってきたんですよ。デンマーク、ドイツ、スウェーデン、三ヶ国見て回ったのね。

（ノンステップバスは）エレベーター乗る感覚で乗れたからさ。車高が二六センチくらいしかなかったのね、床から。あれ油圧で床が低くなるようになってるのね。歩道はちょっと高いじゃないですか？　だから（床を）下げたらほんと、余計（歩道と）並行になってて、まさにエレベーター乗るような感覚で乗れるってことを実感して、ベビーカーも乗ってたのを目の当たりにして、「ああ、まさにこれ俺の求めてたことだ」ということで、帰ってきてすぐ準備して、報告会※24やったのね。

報告会二回くらいやったんだけど、専門家や運輸省のメンバーとかも結構来てて、もちろん写真なんかも見せながらやったもんだから、すごい影響与えたかなとは思ってて。その後、九七年から国産ノンステップバスが走り始めてて※25。

実はノンステップバスという名前は、俺たちのグループで言い出したのが初めてなんだよね。何かいい名前はないかなと仲間内で話してて、「ノンステップバスっていう言い方いいじゃない?」って話が出て来て、それで我々が使い始めたら、行政にも気に入られたらしくて、いつの間にやら全国というわけですよ(笑)。当時結構話して「ねえやっぱりさ、俺たちがノンステップって言い出したよなあ」って話して、勝手に喜んでますけどね。

こうしてノンステップバスは、名前もバス自体も、日本全国に広まっていった。「みんなの公共交通」というテーマで取り組んだこの活動は、大成功に終わった。ところが、活動の最後は悲しい幕引きだった。

これ最後に悲しい話なんだけど、俺の介助者でもあり、「ぼらんたす」を事実上介助者グループにさせた山田圭っていう人が、俺のやってたその東急との交渉団体の大事なメンバーだったのね、率先してやってくれてて。東急世田谷線、今すごい乗りやすいじゃないですか?

あれを東急バスに交渉して行ったのも、彼ともうひとり村部祥子※26っていう女性と僕の三人のメンバーで動いてて。結局世田谷線もあそこまで乗りやすくなったのも、山田っていう人がいたからできたっていうのもあるんだけど、その彼が、いきなり心臓発作で九九年に三一歳で亡くなっちゃったの。

ここでもう一人の大事な人を紹介しておきます。……俺の介助をやりながら、バスがすごい好きだった星野近人さんっていう人がいて、介助もやりながらノンステップバス運動やっていた人でした。

ヨーロッパに行けたのも、彼が介助をしてくれながら、彼のバス運動の勉強にもなるということで、旅行の一〇日間付き合ってくれて。

俺が動けなくなってもその会を続けてくれた人だったんですよ。その彼も僕らの仲間と結婚して、子どもが生まれる二ヶ月前に心臓発作で、三〇半ばで亡くなってしまいました。

実は、世田谷線や東急バスに対する公共交通の改善運動は、「世ボ連」からは反感を買っていたという。なぜならこの運動は、上田さんが当初関わっていたハンディキャブの活動を半ば批判するものでもあったからである。かつて太田修平さんが上田さんに「それって必要悪なんじゃない」と問いかけたように。

この運動から一五年ほど経ったある時、上田さんは碓井さんからこんな言葉を掛けられたという。

「まさか、電車やバスに乗れるとは、思わなかった」

それほどまでに社会の壁は厚く高かった。公共交通の改善運動など、やっても仕方がない。それよりもハンディキャブを普及させたほうがいい。碓井さんはじめ「世ボ連」の上田さんに対する反感とは、そういうことだったのだろう。

今ではもう、ノンステップバスが当たり前の光景になっている。車椅子利用者や「障害者」だけに限られない、まさに「みんなの公共交通」である。その「当たり前」の光景が、当時の乗車拒否や東急バス闘争、ノンステップバスの視察、仲間である介助者の死など、様々な思い出と重なり合う。


車椅子だけ特別扱いをするようなものではなくて、いろんな人が乗れるバスこそ、そういう中に車椅子が存在するというところの面白さみたいなことをやってきたつもりなんですよ。まさに施設ではありえない光景。

だからいつか言ったような気もするけど、バスの乗車拒否された渋谷の南口で二〇年後にふとバスの停留所を見たら、ほぼ一〇〇%ノンステップバスに変わってて、自分の活動したことが目の前ですごい変化で見れるようになって、ああこういう経験ってあんまり知ってる人いないと思うのね。自分で動いた結果がもう目の前に見えるっていうさ。

幸せもんだなって思ってて。

※20 「車イスを〝乗車拒否〟」読売新聞、一九九三年九月三〇日夕刊一九面に記事が掲載された。

※21「一九九三年八月一二日（木）東急、運輸省より『道路運送法第一三条違反』で書類警告を受ける。道路運送法第一三条（運送引受義務）一般旅客自動車運送事業者は、次の場合を除いては、運送の引受けを拒絶してはならない。（中略）これによって、九二年一一月二八日の東急の行為は、法的に乗車拒否と認められたことになる。・東急は一ヵ月以内に運輸省に報告書を提出しなければならない。」『東急バス乗車拒否事件 報告集会 資料集』六頁

※22『「壁をなくす会」通信』（第一号、一九九四年）による。

※23　壁をなくす会発行のチラシ、「リフト付きバス運行開始！」による。

※24一九九五年一二月一七日「ドイツ・スウェーデン・デンマーク三ヵ国視察報告会」報告記録（壁をなくす会、低床バスとその利用者を増やす会編・発行、一九九六年）による。

※25　東急バス株式会社の記者クラブ資料「東急バスニュース 平成九年六月二四日」による。

※26　村部祥子さん：「バス壁」のメンバー。当時すでに社会人で、安倍美知子さんや山口成子さんの介助にはいっていた。

6 血はつながっていないけれど

感覚麻痺・母の介護・第一線から退く

国産のノンステップバスが走り始めた翌年、上田さんの体調が突然異変を起こした。

朝気がついてみたら、いきなりおしっこが出なくなったのね。それで、関東中央病院に入院して、そっからもう下半身と両手の感覚がなくなった。

その一ヶ月前、その年の一月にね、車椅子が歩道の穴が空いてたのに引っかかってね、横転しちゃったの。横転したとき、首がずしーんと響いたの。その直後は何もなかったんだけど。今から考えたら結構それが影響してたと思うよ。

……おしっこが出なくなって、そっからもう特に、両手と腰から下の感覚が無くなって、入院する羽目になって。その時点での一番の大きな変わり目は、膀胱に穴を開けて、カテーテル出して、おしっこを流すということがそっから始まりました。膀胱瘻っていう言い方なんだけど、医学的には。胃瘻ってあるでしょ？　胃に穴開けるから胃瘻って言うんで、膀胱に穴開けるから膀胱瘻って言い方なんだけど。

二〇歳前後のときに首の力を使って自分で起き上がる訓練をしていたことによって「三〇年後首を痛めて、両手と腰から下の感覚がなくなった」というのは、このときのことである。そうして上田さんは、今はもうすでに過去のものとなった健常者願望を、一笑に伏すのだった。

九八年におしっこが出なくなって、入院して、直後に、僕の母親が倒れたんですよ。一回母も入院しちゃって、僕は僕でおしっこが出なくなって、そっからもう特に、両手と腰から下の感覚が無くなって、入院する羽目になって。

（入院でできた床ずれが悪化して）僕が入退院を繰り返し始めた同じ時期に、（母が）二回ほど転んだのね。で、二回目が、洗濯しようと思って、ベランダの段差を降りようとしたら滑って、転んで、頭打ったのね。

（そのあと）母がある夜、うーうーうーうー唸り始めたので、介助者に行ってもらったら、トイレに行けなくなったということがあったんですよ。自分の息子の男性介助者に、自分がトイレの世話になったっていうの、すごいショックだったんだろうね。そこから完全におかしくなってしまったんです。そんな状態の二人が家にいてもどうしようもないので、母は老人保健施設に入ってもらったんです。

老人保健施設に入所したものの、三ヶ月ほどの期限付きだったため、上田さんは母親の次の居場所を探さなくてはならなかった。上田さん自身も入退院を繰り返しながら、である。たまたま電車の広告で目にした、小田急線沿線の鶴巻温泉病院に申し込み、母親はそこに入院することになった。自分の入退院の合間を縫って、月一、二回ほどは病院に顔を出した。

ほんと一年くらいしか居られなかったんだけど、延長してもらって二年くらい入ってたかな。その間に役所のケースワーカーに頼んで、いわゆる老人ホームを探してもらったら、我が家の事情をよく知っている人だったので、無理に探してくれたらしくって。

ほんとは四、五年かかるって言ってたんだけど、二年目にようやく三軒茶屋の駅から歩いて二〇分くらいのところに見つかったのね。そこに入れてもらって。

上田さんは母親の世話に追われた。自身も、突然の体の変調から始まり、床ずれの悪化で入退院を繰り返していた。これらのことが重なり、ノンステップバスが走り始めた二年後、ノンステップバス運動の第一線から離脱せざるを得なかった。

この間、二年間の長期の入院騒ぎを始め、代表という地位にありながら、いろんなところで皆さんに御迷惑をおかけしたことを改めてお詫びします。

（略）

私個人としての今後の動きですが、新しく出来る会にはもちろん関わるつもりでいますが一線は退きたいと思います。母がいよいよ区内の特別養護老人ホームに入ることが決まり私自身の生活も今後どう変化していくかわからないこともあり、肉体的にも年々限界を感じつつあります。この先何年生きられるかわかりませんが、今後私個人の生活に目を向けるようにしたいと考えています。動き方もより世田谷の地域に根ざしたものにしたいと考えています。

（手書き・コピーによる配布文書「今後のバス壁について」）

重くなる「障害」・入院生活・母の死

ところで、上田さんが体に変調をきたしたのは、この時だけではない。上田さんは、年齢を重ねるにつれて「障害」の程度が重くなっていった。始まりは、一五歳の頃に遡る。

中学校卒業して、その時足の手術で入院してたこともあって。

……（足の手術は）右足が伸びなくなっちゃってさ。足の裏。アキレス腱か。今でも跡残ってると思うけど。足首から上、膝まで、筋肉が固くなっているのを削いだっていう。（脳性麻痺と）関係あった。脳性麻痺の一番の問題点というか、特徴は、筋肉のコントロールができないというのが主な特徴なので。右の足が引きつって伸びなくなってしまったのを、力を削ぐというか。それで手術しました。

伸びたことは伸びたけど、右足の裏の感覚がそこでなくなりました。

脳性麻痺の定義にも、「脳の非進行性病変に基づく永続的なしかし変化しうる運動および姿勢の異常である」（厚生省研究班、一九六八年）とあるように、根本的な原因である脳の機能障害は変化しないが、それによって引き起こされる運動や姿勢の異常は変化しうる。脳性麻痺における「変化しうる運動および姿勢の異常」の共通する大きな特徴として、痙縮や筋緊張がある。上田さんのいう「筋肉のコントロールができない」というのは、この痙縮や筋緊張を指している。「右足が伸びなくなっちゃっ」たのも、この痙縮や筋緊張が原因であったと考えられる。

『脳性麻痺ハンドブック 第二版』では、脳性麻痺に対して行われる手術について、「拘縮があれば短縮している筋群、靭帯や関節包を適切に切離すること」によって、「日常生活動作を向上させること、……動きを速くすることや外見上の改善など」を目的として行われると書かれている。

上田さんが「伸びたことは伸びたけど、右足の裏の感覚がそこでなくなりました」と振り返っているように、手術の良し悪し、あるいは有効性は、一概には言えない。上田さんがまだ小中学生代だった一九五〇～六〇年代当時の脳性麻痺の療法について、熊谷晋一朗は「少しでも社会に適応できる体になるための対症療法のありかたをめぐって、外科手術による介入がよいか、それとも理学療法による介入がよいかという意見の対立があった」（『リハビリの夜』八四頁）と述べている。

現在の一般的な見解として、『脳性麻痺ハンドブック 第二版』には、「長期にわたる機能的な改善が得られる見込みがなければ、我々はいかなる理由があろうと手術を行うことには消極的にならざるをえない」と記されている。つまり、現在は、外見上の改善のみを目的とした手術に対しては、否定的な意見が主流である、ということである。

その後も、「障害」の程度は重くなっていった。その理由は様々である。

東京に来たのが七八年だったんだけど七五、六年ごろかな、腰が、脇腹がすごい痛くなって、かかりつけのお医者さんに診てもらったら、「これ緊張からくるもんだろうから、緊張とる薬を飲んでみるか」ということで、筋弛緩剤っていうの飲まされたんだよね。そしたらもう、力入らなくなって、起きてられなくなったのね。部屋の中を、自分で正座して歩いてたのに、薬飲んだ途端に座れなくなって。

困ったなっていうこともあって、東京出てきて最初に診てもらったら、「これ首の骨ずれてる、そっから来る痺れだろう」と、「このままいけばいつか全然動けなくなるよ」と。でも今手術しても、治る確率は五〇％だと言われて、じゃあ、どうせダメなんだったら今痛い目しなくていいじゃんと思って、ほっといた。ほっといた結果、右の手の緊張がなくなって、だらっと手が落っこち始めたのね。それが八八年ごろでした。

これは上田さんが電動車椅子をやめた理由のひとつでもあった。このように「障害」の程度が重くなるということは、先天性の「障害者」であったとしても、「障害」の程度も経過も人によって異なることを示している。

（右手が）いつか動かなくなるよ、とは言われてたんで、「あ、とうとう来たか」と。覚悟はしてたんで。ヨーロッパ旅行（ノンステップバス視察）を強行したわけです。

尿が出なくなり、下半身と両手の感覚がなくなったのはその三年後、ノンステップバスが走り始めたときだった。

そっから約一〇年間、病院を行ったり来たりの、一〇年の時間の三分の一は入院生活でした。という、残酷な、生活の大転換の話です。

……（床ずれで）駒込（病院）に入ったんですよ。結局ね、二回入ったんだけど、だから全部で四ヶ月くらい入ってたと思います。二ヶ月で退院していったん家に帰ってきたんだけど、また入って、そんなことの繰り返しで。そんなところから、もう俺よく覚えてないけど、今から考えると、約一〇年間の間に二、三年は病院にいたような、そんな記憶です。

……右の足の付け根、お尻の方に、床ずれで穴が開き始めて。床ずれって最後は、肉が腐って出ていっちゃって、穴開くんだよね。とうとう骨が見えるようになって。これはもうなんとかいいところで手術するしかないと。……手術してもらって、骨を削って、周りの肉を埋めたっていう。それが結構効いたみたいで、そこから段々だんだん良くなっていったわけですよ。


ようやく容態は安定した。上田さんが六〇歳の頃であった。東急バス闘争の時代の、活動的な生活とは一変して、病院に通い続ける生活を送った一〇年だった。

話が再び遡るが、上田さんが退院する五年前、五五歳のとき、母が特別養護老人ホームで息を引き取った。

途中で言葉が出せなくなってね。その時は可哀想だったなあ。九二歳。三月に亡くなった。四月が誕生日だったのね。だからもう一ヶ月生きてれば九三歳。

上田さんは母親のご飯を懐かしく思い出す。

母は元気なときはいつも毎日料理を作って出してくれていたんですけどね。古い介助者は、お母さんが作ってくれた料理美味しかったよねっていってたなあ。

それが、母が亡くなったもんだから、食事はコンビニや弁当屋の弁当だったんですよ。いわゆる買い食いってやつ。

母親が亡くなった五年後、床ずれの手術を終えた頃から、上田さんは自炊をするようになる。

できるだけ自分で料理作って、材料買って、自分で作って食べるようにしたら、だんだん体の状態がよくなって、床ずれができなくなった、みたいなね。そっから段々だんだん、病院のお世話にならなくなったっていうか。入院生活が長引いたけど、とりあえず家で料理するようになってから、体はだんだん復活してきたみたいなことなんだけど、よくなった時から、あれもしかしたら料理するようになったのが良かったのかな、みたいな感覚があって。

それまではお弁当とか出来合いとかそんなもんしか食べてなくて、やっぱり食べるものって大事だなって思うようになって。時期がよかったってのもあるんだろうけど、手術したところも完全に治って、最初手術した後も長く座ってればおかしくなってたこともあったんだけど、それもだんだん無くなってって。

……そんなこんなで一二、三年前に割と元気になってきて、いろんなこと、食べることも含めていろいろ変えていったところで、割と床ずれができにくくなったっていうことで、いろいろと今の状態を保つことができるようになった。

水俣演劇ワークショップ・重度訪問介護制度

体調を回復した上田さんは、再び障害者運動に取り組んでいく。

肝心要の世田谷が、ちょっと古い（以前からの）演劇運動が下火になっちゃってて、たまたま――水俣ってわかるよね？　九州の熊本の、あそこの患者たちね、体内にあのお母さんの体から水銀が入って、脳性麻痺的な障害を持って生まれてきた人が結構いたわけですよ（胎児性水俣病患者さんのこと）。その人たちとつながりが「黒テント」のメンバーを中心にあったのね。

　それで、世田谷のワークショップ、演劇のワークショップを水俣で伝えていこうみたいな運動が始まって、俺も（演劇ワークショップを）やってきた関係もあったり、水俣とも介助者を通じて知ってたこともあって、体もよくなってきたから、ということで水俣と交流やろうかっていう話になって。

　その時にこちらとしてその演劇ワークショップ使って、水俣のことを演劇にして見てもらったのね。それが一回だけでは終わらないで「水俣世田谷交流実行委員会」（みなせた）っていう名前で、世田谷の障害者たちが、自分たちが受けて来た障害の問題とか社会的なことも含めてみんなで持ち寄って、年に二、三回演劇を作り始めたわけですよ。今では雑居まつりなんかも毎年演劇作って見てもらうようなこととか、五月に烏山の区民センターの前で路上演劇祭ってのをやってるんだけど、そこで演劇を作って発表するとかいうことをやり始めたんですよ。


　その時のメンバーで「みなせた」を創設し、以来年に数回の演劇を毎年続けている。上田さんはもう活動からは退いている。活動が今も続いていることを喜びながら、そっと見守っている。

最初俺が代表者になってやって来たんだけど、途中でたまに熱が出始めたり、公演をやる前の日に熱を出して、練習までは関わったんだけど、いきなり当日に熱出して行けなくなっちゃったり、そんなこともあって、もうこれはこのまま続けても迷惑かけるだけかなと思って、今は退いてます。

けど活動はずっと続いてて、だから自分がやり始めたことがこういう形で残ってくれてるのかなあと思って内心喜んでますけどね。

退院後、上田さんがもう一つ始めたのが、重度訪問介護制度の改善運動であった。

もともと重度訪問介護制度は、「府中療育センター闘争※27」の過程でセンターを退所し、地域で生活を始めた「障害者」が、東京都に対して生活の保障を強く求めていったことにより、「重度脳性マヒ者等介護人派遣事業」が発足したところから始まった。障害者がサービスを選択して（それまでは行政が決めていた）サービスの事業者と契約し一部費用を負担し、市区町村が支援費を払う「障害者支援費制度」が、国の制度として定められたのが二〇〇三年だった。上田さんの母親が亡くなった年である。次第に制度は広がりを見せていった。一方、東京二三区の中での差もかなりあった。

世田谷区では、四〇年以上前から介助保障を求める運動があった。一九七九年に「求める会」が結成されたが、メンバーの方向性の違いから八三年に解散。その後、「求める会」

の運動を引き継ぐ形で、大幅なメンバーの変更とともに「公的介助保障を要求する世田谷区民連絡会」（介助連）が組織され、今日まで運動が行なわれてきた。しかし、世田谷区では、二〇一五年まで二四時間介助費用が保証されるところまでは至らなかった。当時上田さんも、障害区分が最重度の六であるにも関わらず、保障が一七時間にとどまっていた。

介助費用の支給時間が一七時間の時は（残りの七時間のうち）、僕がね、四時間、五時間分出してました（残りの二時間はボランティア）。結構かかってたよ。五、六万かかってた。

当然生活は圧迫され、介助は不安定になる。しかし、世田谷区に二四時間介助保障を求める「介助連」の要求は、なかなか認められなかった。

不服申し立て制度ってのあるのね、そっから始まって。なかなか認められなかったので、当時この件に一番詳しい人と思われていた弁護士さんに相談したんですよ。あらためてこの制度を詳しく見ていった結果、（世田谷区の上級行政庁にあたる）東京都に対して、「世田谷区がどうしても二四時間に延ばしてくれない」ということで、不服申し立てを出したんですよ。でも二回出したんだけど却下されたのね（不服申し立ての審査請求は二回まで可能。二回とも認められなかった場合は行政訴訟を提起することになる）。

それで、世田谷区を相手取って裁判起こそうっていうふうな動きを始めたんですよ。

その不服申し立ての内容とは、次の通りである。通常、重度訪問介護制度では、障害程度に応じて保障される重度訪問介護の最大時間が定められている。これは「定型時間」と呼ばれる。一方で「定型時間」では利用者の生活に困難が生じる場合、利用者は審査を通じて、保障される時間を延長することができる制度がある。これを「非定型審査」と呼ぶ。ところが、当時世田谷区では、この「非定型審査」が行われていなかったのだ。上田さんは「介助連」として、先頭に立って行政との交渉を進めていったという。

その制度をちゃんとやってほしいと要求したんだよ。あんまり大きく（大きな声で）言える話ではないけど、その間（二度の不服申し立てから訴訟準備までの間）、（世田谷区の）福祉部長と散々二人だけでやりあったっていうわけさ。その後、だんだん（訪問介護時間を）上乗せしていって、三年前、（二〇一五年）初めて、介護保険も込みで二四時間初めて認められた人が出て、二年前（二〇一六年）の秋から、僕が二番目に二四時間保障が叶えられました。今、世田谷区内で一四人認められているらしいけど、そっから後は若い人たちによろしくって感じですが（笑）。

もうずっと、僕は三五、六年前からずっと、二四時間にしろって運動に関わるようになったけど、本当は（運動自体は）四十何年前からやってて、ようやく自分が関わって達成できたの。気分ではね、勝手に満足してますけどね。

人と関わる

上田さんが自立生活を営む家には、年齢、性別、障害の有無に関わらず、多くの人が出入りする。

隣近所も、もう四〇年付き合ってるけど、最初は両親と姉もいたわけですよ。だから両親や姉が俺の生活を守ってきた、というふうに見られてたらしいんだけどね。誰も周りいなくなってもなんとか生きていってじゃん。この家にはいろんな介助者と、介助者だけじゃなくて多分一週間に二、三〇人出入りしてるのね。お医者さんとかさ、看護師さんとかさ、友だちまで来てるわけでしょ。二、三〇人同じ家に出入りしてるところってそんなにないじゃないですか。

時にはどこかに一緒に出掛けることも、食卓を囲むことも、杯を交わすこともある。こうしてたくさんの人と関わっていることは、上田さんの自慢の一つでもある。その背景には、「オープンハウス」という考え方があるという。

こっち来てすぐ、自立生活運動を世田谷で紹介するということで、アメリカのＣＩＬを紹介するってことで、講演者に来てもらったエド・ロングさんっていう人なんだけど、（彼が）ちらっと僕に「オープンハウス」、家をオープンにしていくことで介助者を集めやすくなるよって言ってくれたのね。

「あ、そうか」って感じでさ。確かにね、ひとりで生きててさ閉じこもってちゃさ、そりゃ人は集まんないわけで、そこに介助者が来ようがないよねって。

逆に言えば、私たちが上田さんの家に頻繁に出入りするのは、上田さんが一人で生活を営むことが困難だからである、とも言える。

そうした関わりは、介助者や医療関係者、団体の友だちにとどまらない。

（マンションの真上の部屋に）五年くらい前に引っ越してきて。女の子二人いて、結構走り回る子どもたちで、親も結構遊ばせてて、走る度に上、この真上だからさ、ドスンドスン音がするんだよね。響くんですよ。

気を遣ったんだろうね、「ごめんなさい、いつも騒がしてすいません」って言ってくれたの。もう三年か四年前かな。（そう言いに）来たから、「上に住む人の中には、他にも子子どもたちいたこともあったりして慣れてんでいいですよ、気にしないでください、子どもは賑やかなのが一番だと思うんで」って言ったらすごい喜んでくれて。……ここ二、三年子どもたちがここに遊びに来るようになって、たまーにパーティーなんかもやったりして。

八木橋一家である。この八木橋さんのお陰で、上田さんはマンションの自治会にも参加しやすくなった。

上のあの四階の八木橋さん、ここの自治会長やってくれてた時に、僕のこと考えて、自治会の会議がある時に――大体一階の会議室だったんだけど、あそこは入れないんだよ車椅子で――じゃあもっと使いやすいところを考えようかって言ってくれて。三年前からそこ（近所）の桜小学校の会議室を借りてくれるようになって。会合がある時に僕も顔出すようにして、いろいろ意見も言ったりするようにして。それ一番嬉しかったね。

地域に出ていっても、もう上田さんは周りから白い目で見られることはほとんどない。みな、上田さんがこの地域に住んでいることを知っている。それが、当たり前の日常になっている。

そこのM銀行のとこで、一人で行って、口座の問題とかいろいろやったのを、行員が当たり前のようにやってくれたりして。あと、近所にK薬局があって、もうずっと、ここにきてすぐ（から）。もう薬局、本当に近いとこにあったんだけど、そっから親子代々。今は薬局、駅のそばにあるけど、行くともう完全に僕に応対してくれてて、それが当たり前みたいなことになって。ね、普通の地域の住民として見てくれてるみたいなことで、嬉しいなあって。（すぐ近所の）パン屋さんも、あそこも滅多に行かないんだけどね、（介助者が上田さんのパンを買いに行くと）もう俺だってわかってるみたいだよね。

世田谷線なんかもさ、まさにもう、ね、行くと挨拶してくれるし、スペシャルゲストじゃないけど、いるのが当たり前みたいなところが実際に見て取れるからさ、嬉しいなって。もちろん最初はね、嫌な顔散々してたけどね。（変わった理由は）時間でしょ。いつも使って、朝。たまに、問題が起きたら話に行くしね。

一回、俺見てるはずなのに対応なしに勝手に（発車して）行っちゃったこともあったし――ホームにいたのに、運転手見たはずなんだけど、行っちゃった。なんでそうなんのよって文句言いに言ったことがあって、そしたら結構気を遣ってくれるようになって。だからそういう話もしていく中でさ、俺が乗るってどういうことかってことを、わかってもらえたかな、みたいなところがあって。だんだんと、僕があの電車に乗るっていうことが当たり前になってきて、時間が解決。

だから、決してそれが当たり前じゃないんだよね。今ね、それが誰でもそういうふうな対応してくれるかって言ったら——知らないからさ、障害を持ったパーソナリティを。そこに俺がいるんだ、ここにいるんだっていう存在感みたいなところが、知らなきゃさ、わかんないじゃないですか。だから、わざと俺を知ってもらうために、あちこち出かけて行ったってのもそうだし。

上田さんも言っている通り、この日常は決して当たり前ではない。上田さんが、体を張って、自分を曝け出して、みなに自分の存在を知ってもらうという過程を通じて、当たり前にしていったのだ。このように地域で生きていくのは容易ではない。周囲からは「らしさ」を押し付けられる。

でも、なかなかね、周りも本人も含めて障害者らしく生きようとかね、決め付けられるんですよ。いわゆる、可愛がられる障害者みたいなさ、なりなさいって、養護学校（現・特別支援学校）とかもそういう教育するんですよ。

じゃなくて、憎まれてもいいから、自分の人生自分で楽しく作っていってほしいなって。

自分がやってきたことがそうだったから。ちょっとは真似してもらいたいなと思ってて。……本当にひとりで生きていくってことをしてってほしいなって思うんですよ。どんな障害があってもね。

どんな「障害」があっても、憎まれても、上田さんは、ひとりで生きていってほしいと願う。けれども、上田さんの言う「本当にひとりで生きていくってことをしてってほしい」というのは、孤立して、あるいは単独で生きていくということでは決してない。

とかく言うじゃないですか「人に迷惑かけちゃいけない」。違うのよ、お互いが、お互いが迷惑かけあいましょう、それが本当の自立、地域でしょ、社会でしょ。お互いが迷惑かけあうっていうことが本当の優しい地域っていうか、みんなが住みやすい形だろうなって俺思ってて。

ましてやこれから超高齢社会が当たり前になってくる時代だから、高齢者って障害者になるんだよね。自分が高齢になった時に、障害者になるということを認めたくない人たちも多いようだけど、現実には明らかに障害者じゃないですか。そこを自分で認めた上で、施設や病院行くんじゃなくて、自分の住みたい場所に住んで、いろんな人と関わってく中で生きていってほしいなって思うんですよ。

ある面では、本音を言えば、最後はここで死にたいって絶対誰でもあると思うんだけど、それは許されない社会じゃないですか、まだね。そういうことを本音で語って本音で実行していくってていう高齢者がもっといてほしいんだよね。

このように語るとき、上田さんは、言葉を失い老人ホームで息を引き取った母親を想っているのかもしれない。あるいは、老いてゆく自分自身の行く末を見据えているのだろうか。

上田さんが二〇代後半で世田谷に移り住み、障害者運動に関わるようになって約四〇年の歳月が流れた。ようやく今、上田さんは、碓井さんという一人の障害者運動家に出会ったときから目指してきた地域の輪郭を掴みつつある。しかしまだそれは、長い道のりの途上にある。上田さんは今日もまた、一歩ずつ、ゆっくりと、でもしっかりと、歩み続けている。

孫のこと

最後に、上田さんのお孫さんのことを記しておきたい。孫と言っても、いわゆる血の繋がった孫ではない。上田さんにはそもそも子どもがいない。けれども孫なのだ。

ちょうど本人からメール来たけど、あの孫たち、彼らの話ししてないよね、まだね。島田わくと島田ちぐさっていう、今年上のわくが六歳か、下のちぐさが四歳なんだけど。彼らのパパちゃんがもともと僕の介助をやってた人で、ケアズ世田谷（HANDS世田谷が実施している介助者派遣事業）から派遣されて来た人だったんだけど、もう六年くらい前か、いや七年前か、毎週日曜日に派遣されてきてて、いろいろ話してるうちにすごい価値観が似てて、向こうもすごい信用してくれて。

彼らの活動グループがあって、そこと接点もできて、たまに家で会合やったりしてて、そういう中で仲間同士で恋愛関係になって、結婚するっていうから「ああ、おめでとう」って言ったら、結婚式に招待されて。彼の上司ということで挨拶させられて、嫁さんと同じ活動グループで（僕が）付き合ってたから、彼女自身がすごい僕を信用してくれて。

結婚して、新婚旅行でアメリカに行ったんだけど、その時にどうやら妊娠したと。帰ってきた直後に「妊娠したみたいだ」と言われたんで、どういう気持ちであんなこと言ったのか、俺も後で自分で言ったことにびっくりしたんだけど、「俺の孫だ！」と叫んじゃったのね。それで両親もすごい喜んでくれて。

上の男の子「わく」って平和の「和」に「空」と書くんだけど、和空が生まれて四日目にお見舞いに行ったら、お母さんが僕の膝に抱かせてくれたんだよね。

四日目だよ？　七月七日に生まれたんだよ。まさにね（笑）出会いのあれでしたけど。織姫と彦星じゃないけどね。四日目に、大した縁でもないのに、膝に抱かせてくれたんで、すごい深いもの感じてさ、まさに孫みたいな感じでした。

かく言う上田さんは、もともと子ども嫌いだった。

子どもの頃、結構（他の）子どもに囃し立てられてね、俺の障害を。子どもは正直だからさ、俺のこんな顔でこんな格好でやってればさ、道で会えば、今となっちゃあ、いじめという言い方になるけど、差別されるわけですよ。それがいやで子どもが嫌いだったのももともと。

それが和空と出会ったおかげで、すごい子どもが好きになってってね。嫌いだったのは俺の問題であってさ、子どもたちはただ見ておかしかったから笑っただけであって、別に差別って意識じゃねーんじゃねーの、って思い始めて、逆にそういう子どもたちと一緒に生きていければなあって思いが出てきて。その象徴が和空だったわけですよ。

「俺の問題」というのは、上田さんの中にある「被差別意識」を指しているのだろう。子どもが囃し立てるのを差別だと感じ、子どものことを嫌いになっていたのは、「被差別意識」があったからだった、と。この最後のしこりが、和空くんとの出会いで溶けていったのかもしれない。

というのも、上田さんは別の機会に、こんなエピソードを話してくれた。

世田谷線で、俺が乗ったら、車椅子席のところに行ったら、その親子が目の前にいたのね。その女の子が、僕の顔を見て笑い始めたと。一瞬ムカッときた。その子が笑い始めたとき。でも母親の顔を見て、子どもが面白がってるところを、親が微笑んで見守ってたわけですよ。それで逆に俺自身が変わっていったのね。

嬉しくはないけど、子どもが素直に自分の気持ちを表して笑ってたってところが、見て見ぬ振りじゃないわけじゃないですか。親子で見て見ぬ振りじゃなくて、素直に俺と面と向かって。

笑った子どもを叱ってやめさせる意識の方が差別だろうと思うわけよ。すごいにこやかな顔で笑ったんだよね、お母さんが。「ああ、このお母さんわかってるな」と思ったわけですよ。

このように感じることができたのも、和空くんと出会ったからだという。

（和空が生まれた）二年後に下の子、千種が生まれたんだよね。お母さんの仕事の関係でしょっちゅう会えるわけではないけど、今でも僕のことを「モトムじいじ」と呼んでくれている。二人とも僕の膝の上に乗りたがっていて、嬉しいやらなんやら（笑）。

今、上田さんは二人の孫がいるおじいちゃんである。「モトムじいじ」は、今日も自分の住みたい場所で朝を迎え、自分の食べたいご飯を食べ、ひげを剃り、着替えをする。車椅子で街に出掛け、会いたい人に会い、活動に取り組み、たくさんの人と会話をする。お茶を飲み、風呂に入り、Facebookに投稿し、眠りに就く。そしてまた、朝を迎える。

※27　府中療育センター闘争：一九六八年設立の都立府中療育センターは、重度の知的障害と重度身体障害をもつ重度心身障碍児・者を対象とする療育・医療施設。起床・就寝から入浴・食事に対する一方的な管理や劣悪な介助体制、面会・外出の制限や強引な移転計画に対し、七〇年以降、在所者によるハンストや都庁前座り込み抗議が続いた。（『生の技法』二七二―二七五頁）

水面に上がった直後のひと息 ── 語りおわり

耳を、目を、全身を傾けて聴いている間、時間の感覚は薄れてゆく。今この時間を過ごしながら、私は上田さんとともに幾つかの過去のあの時へと赴く。複数の時間が、その場において折り重なる。

私たちは、そのなかでたくさんの時間が並存している語りをともに聞くことで、その時間を語り手とともに旅する。そして、そうすることで私たちは、語り手がいまここに実際に存在し、そしてその人生のなかに実際に多くの時間が経験されてきたことを、直接的に理解するのである。

（『マンゴーと手榴弾』一三三頁）

目の奥が軽く痛む。疲労感がやがて全身を巡る。体が重く感じる。ふと視線を窓の外にやると、もう日も暮れて、夜の帳が下り始めていた。

「今日は この辺にして おき ますか。」

上田さんがこう切り出した時が、インタビューの潮時である。切り上げるべき話の節目をわかっているのは上田さんのみで、私はそれに従うだけである。不思議なことに、それが訪れるのは、大体いつも一時間を少し過ぎた頃であった。

「はい、お疲れ様でした。じゃあ、録音止めますよー」

私はiPhoneの録音を止める。背中を椅子の背に預け、思いっきり背伸びとあくびをする。上田さんもあくびをする。そうして改めて、お疲れ様でした、と声を掛ける。喉が渇いているだろうと思い、上田さんにお茶を勧める。私も、残り少ないお茶をくいっと飲み干す。

私はインタビューの感想を口にする。インタビューが終わったからといって何もなかったかのようにすぐに別の話題に移ることは、私には難しかった。それだけ上田さんから受け取ったものが大きかった。上田さんの言葉の数々はずっしりと私の胸の奥に沈み込んでいった。

例えば、小林さんにまつわるエピソードは、私に自分自身の過去を思い起こさせた。それは自然と湧き上がってきて、私はその想いを上田さんに話さないわけにはいかなかった。

「小林さんは上田さんにそんなにも大きな影響を与えたんですね。ぼくも、昔亡くなった友だちから大きな影響を受けました。その友だちがいたから、今の自分があると思っています……」

「そうなんですね、出会えてよかったね。」

きっと彼のおかげで、私は今こうして上田さんの話を聴いているのだろう、と思う。胸がじんわりとあたたかくなる。

「はい、本当にそう思います。」

聴き手である私の中にも、語り手である上田さんの中にも、まだ上田さんの過去のあの時が流れていた。正確に言えば、それはむしろ名残なのだろう。打ち寄せた波が引いたあとの渚に残る跡のように。次第に、あとから打ち寄せる波に掻き消され、私たちは過去のあの時から遠ざかり、今この時へと戻っていく。過去を両手に抱えながら。

生活史とは結局のところ、時間についての物語である。私たちはみな、現在に折りたたまれた過去に生きている。

（『マンゴーと手榴弾』一三四頁）

最後のインタビューの時は少し違った。最後の最後を締めくくるには、「この辺にしておきますか」という言葉ではあまりにも味気なかったのだ。

「まあそんなこんなで、やっぱりここまで生きてきてよかった。こういうことも生きてきたからこそ経験できるわけでね、生きてきてよかったなって、思ってる今日この頃でーす。……こんなことでよろしいでしょうか。」

この時の上田さんの満面の笑みは、今も脳裏に焼き付いている。その笑顔につられて、私は「はい、僕は全然（笑）」と、思わずしょうもない返事をしてしまった。

「まあひとりの重度障害者が俺なりに、先も言ったけど、止むに止まれぬ気持ちでいろいろ活動やってきて、まあそれなりに結果として残してこれたということがもう、今何かあってもまあ満足して逝っちゃえるかなと、思ってます。」

「おじいちゃんになったらそんなことを言ってみたいですね。」

「もちろん悲しいこともいっぱいあったし、まあでも、先に逝っちゃった彼らが上から見てるからさ、変なことできないんですよ。あれーってさ、お前何やってんねんって、怒られないようにしないと。」

最後に上田さんは、次のように締めくくった。

「僕の人生で一番大切にしていることは、いざ死ぬ時に何にも悔いがないと信じきる人が最高の幸福者だと思ってます。そういう意味で、今何があっても幸せだったと言えるでしょう。」

Ⅲ　ひらいていくこと

「みんなにショックを与える上田要の始まり」ということ

こうして人生を振り返り、上田さんは「多分周りからは、全然障害者らしくないとか、言われていると思うんだけど」と自分自身を表現する。障害者らしさとは、私たちが持っている一般的な「障害者」観なのであろう。それは、生活史においても触れたように、「健全な身体」と「健全な精神」という規範からはみ出た、人間以上、あるいは人間以下という、すなわちスーパーヒーローか哀れな犠牲者というイメージである。

上田さんの道のりのすべてが、この一般的な「障害者」観からはかけ離れているのだろう。ここにいるのは、家族のもとで育ち、地域で暮らし、いくつかの運動や活動に携わり、たくさんの人との交流があり、仲の良いご近所さんもお孫さんもいるという、「普通のことをする普通の人間」(マイケル・オリバー『障害の政治』一一七頁)である。

しかし一方で、上田さんは自身を「恵まれていた」と表現し、「普通」ではなかったと考えている。それはつまり「障害者」にとっての「普通」ではなかった、ということである。だから、上田さんの人生の軌跡をより適切に表現するならば、「障害」を抱えているという「特殊な状況を処理する普通の人」(『障害の政治』一三〇頁)と言えるだろうか。

歴史社会学者の小熊英二は、個人の生活史における「普通」について次のように述べている。

人間は、ふだんは目立たない生活、「平凡」とよばれる生活を送っている。だが生涯に何回かは、危機的な経験をし、英雄的な行動をする。しかし同時に、大枠においては、同時代の社会的文脈に規定されている。それこそが、平均的な人間というものだ。

（『生きて帰ってきた男』三八六頁）

そんな上田さんと出会うとき、私たちが今まで持っていた単純な、あるいは一般的な「障害者」観が崩れ落ちる。「障害者」というラベルの向こう側にある「普通の人間」と出会う。上田要と出会い、「モトムじいじ」と出会う。私たちは、少なからずその姿にショックを受ける。

気付けば私も、「障害者」ではなくひとりの人間として上田さんと接するようになっていた。私の中の「障害者／健常者」、あるいは「被介助者／介助者」というような単純な図式が崩れ去っていった。こうして私はあらためて上田さんというひとりの人間に出会っていったのだった。今でも、ショックを受けた上田さんのエピソードの数々が、私の脳裏に焼き付いている。

これまで上田さんと出会った数知れない多くの人が、このようにショックを受けてきたのではないだろうか。そのことを上田さんは「みんなにショックを与える上田要の始まり」と表現したのだろう。

ひらいていくモトム

少し駆け足で、いくつかのエピソードを振り返りたい。それによって、「障害」と「健常」の境界で、「普通」と「普通でない」ことの境界で、上田さんがどう生きてきたのか、その人生の軌跡をより鮮明に掴むことができるだろう。

第一は、「おおっぴらにしちゃった」というエピソードである。脳性麻痺を抱えた「この体」として生まれた上田さんを、両親や祖母、学校の先生は「障害者」として扱わなかった。両親は、同年代の友だちと遊ばせ、普通の学校に通わせた。祖母は、後継ぎである長男への英才教育として、上田さんに先祖代々の様々な話を聞かせた。学校では、担任の先生もひとりの生徒として扱ってくれた。

第二は、施設入所と小林さんのエピソードである。施設に入ったことによって「障害者仲間」と出会い、社会の中でいらない存在と見なされる「障害者」の置かれた立場を肌で感じ、初めて自分が「障害者」であるという意識が芽生えたのだった。身体が動かないだけで進学も就職もできない、施設へと排除される、それは社会の壁であり、そのような社会によって「いらない存在」とされる。であれば力を注ぐべきは、動かない自分の身体を動かせるようになることではなく、「障害者」を「いらない存在」として排除する社会の在り方を変えることである。こうして上田さんは自らの「障害」を含めて自分を肯定し、社会の在り方へと目を向けていった。

第三は、「世ボ連」との出会いである。碓井さんたちが立ち上げた「世ボ連」の「障害者自身が我々の住んでいる町や地域を作っていこう」というキャッチフレーズは、上田さんにとってまさに施設の対案だと思えた。こうして上田さんは、自らの活動の方向性を定めていった。

「黒テント」の演劇ワークショップは、何も知らない観客として訪れた「世間」の人々に対して、上田さん自らの「障害」ある身体を「曝け出す」という経験だった。それはすなわち「世間」を知らない「障害者」と、「障害者」を知らない「世間」が、互いに理解し合い、「さまざまな思想や宗教、あるいは価値観によって、さまざまな生活を営んで、地域社会を形づくっているなかに、ごくあたり前に老人や障害者がまじっている、そんな地域社会」への、上田さんにとっての具体的なの第一歩でもあった。

第四は、「世ボ連」を通じて出会い、広がっていった活動である。上田さんたちは「夜と夜の夜」の公演終了後も「太陽の市場」と名前を変え、さらにその後は、無農薬八百屋「みんなの広場」として活動を続けていった。上田さんにとって、これらは居場所、そして生活の場所にもなっていった。

上田さんは「国際障害者年」に関するイベントの一環として、エド・ロングさんの講演会の運営も取りまとめた。講演会終了後も、そのメンバーを中心に「当たり前の生活を考える会」として活動を続けた。この活動が、今も自立生活センターとして続く「HANDS世田谷」の立ち上げのきっかけとなった。

加えて、まだ上田さんは「夜と夜の夜上演実行委員会」を通じて、二四時間介助者を入れて自立生活を行う「障害者」と知り合った。それがきっかけで、風呂や食事のときだけ介助者を入れた自立生活を始めた。「みんなの広場」の活動をしていた頃、母親が倒れ、父親が亡くなった。二四時間介助者を入れた自立生活を始めたのは、この時からである。

第五は、ノンステップバスへと展開していった公共バス運動である。上田さんたちが「壁をなくす会」を結成し、東急バスと団体交渉を始めた結果、上田さんが乗車拒否に合った路線に数台リフトバスが導入された。しかし、このリフトは、車椅子の人は使うことができても、ベビーカーや杖の人が使うことはできなかった。上田さんは満足できなかった。「障害者」だけでなく、誰もが使える「みんなの公共交通」を目指してきたのではないのか、と。ちょうどその頃、ヨーロッパでローフロアバスが広まりつつあることを知る。その視察ツアーに唯一の車椅子当事者として参加した。上田さんは、これが自分の求めていたものだと強く感じた。帰国後、専門家や運輸省の人も交えて報告会と勉強会を重ねた。その二年後、国産のノンステップバスが走り始めた。

　第六は、今も続く地域の人たちとのつながりである。母の世話と死去、自身も入退院を繰り返した一〇年間を乗り越えた上田さんは、再びいくつかの活動に関わるようになる。以前からの関連で、水俣に関する演劇ワークショップに取り組み、重度訪問介護制度の改善を訴えて世田谷区を相手取った。

　日常生活においても、自身の家をオープンにし、自身も積極的に地域に出ていき、たくさんの人と交流してきた。結果として、両親が亡くなり、ひとりで自立生活を行うようになってからも、介助者不足に困ることもなく、地域で生き抜いてきた。街へ出掛けても、もう誰も白い目で見ることも、無視することもない。決してそれは当たり前ではなく、上田さんが体を張り、身を曝して、時間をかけて築き上げてきた関係性の賜物である。

　どんな「障害」を抱えていたとしても、地域で生きていってほしい、と上田さんは願う。それは一般的な「障害者」にとどまらない。私たちもやがて歳を取り、「高齢者」すなわち「障害者」になっていく。どんな人であっても、自分の住みたいところに暮らし、最後を迎えられる社会。それは、お互いがお互いに迷惑を掛け合う社会ではないか、こう上田さんは問いかける。ようやく上田さんの暮らす世田谷の地域は、四〇年以上の時を経て、上田さんはじめ多くの人たちが目指してきた地域へと近づきつつある。

　これら六つのエピソードが、実はそれぞれ生活史の各章に対応している。駆け足で振り返って、改めて感じる。迷い、立ち止まり、少し後ずさり、途方に暮れ、後ろを向き、逃げ出しそうになることはあっても、上田さんは自分を閉ざすことがなかった。他者へ、社会へ、自らと、自身の「障害」をひらいていった。そして、そのはじまりには、両親や祖母が、まだ幼かった上田さんをひらいていってくれたことがあった。

ここで、第0章の最後で述べた問いの答えが見えてきた気がする。「上田さんは、以前は語り得なかった自らの誕生を、なぜ笑いで締めくくることができるようになったのだろうか」。そこには、以上で述べてきたような、いくつもの「ひらいていくこと」の経験があったのではないだろうか。それによって、「障害」のある自分を肯定し、他者へ社会へと返していった。その積み重ねの果てに、以前は語り得なかった自らの誕生を、笑いで締めくくることができる、今の上田さんがあるのではないだろうか。

「家族」について

他者へ、社会へ、ひらいていくことを、前節では主に「障害」という視点から辿ってきた。しかし、そもそも上田さんが自らの誕生を「みんなにショックを与えた」と表現したのは、「障害」のある「この体」で生まれてきたからではなかった。それによって、後継ぎとしての役割を果たすことができないからだった。その役割とは、結婚をして上田家の後を継ぐ子どもをつくることだった。果たして上田さんは、この後継ぎとしての役割をどのように自身の中で位置付けていったのだろうか。

もし上田さんが、後継ぎとしての役割を果たせない長男、として自身を位置付けたならば、「みんなにショックを与えた」自らの誕生を笑いで締めくくることはできないだろう。それは、口にすることさえも苦しいことであったかもしれない。

そのヒントは、和空くんと千種ちゃんというふたりのお孫さんのエピソードにあるように思えた。ふたりのご両親は上田さんの血縁の「家族」ではない。お父さんが上田さんの介助者だったのだ。したがって、和空くんも千種ちゃんも、上田さんの血縁ではない。それでも上田さんはふたりを自分の孫と呼ぶ。いや、呼ぶというだけではなく、本当に孫なのだ。和空くんと千種ちゃんにとって、上田さんは「モトムじいじ」なのだ。上田さんにとってふたりは、血縁ではない「家族」であり、後継ぎということなのだろうか。

あるいは、おばあちゃんについて語ったエピソードに、「後を継げなかったけど、先代に悪名を残しちゃいかんだろうな、的な想いはあってさ。だからまあいろいろ活動もしてきたけど」という一節がある。後継ぎとしての役割は諦めた、けれどもそれを埋め合わせるくらいの活動をしてきた、という自負があるということなのだろうか。

上田さんから、最後に付け加えたいことがある、と言われたのは、卒業論文の提出期限が一ヶ月を切り、私が両者の間で解釈に悩んでいたときだった。この最後のインタビューは、提出期限の一週間前、二〇二〇年一月二二日、私が上田さんの介助に入った日に行う約束だった。

とは言うものの、私は上田さんからの申し出をすっかり忘れてしまっていた。いつもの通り、「おーい、起きるよー」と上田さんに起こされた私は、温めたタオルで上田さんの顔を拭き、朝食の食パンとハムを六等分して上田さんの口に運んでいた。空はどんよりとした雲に覆われ、冷え込んだ朝だった。

「そういえば」と上田さんが何かを思い出したように呟いた。

「どうしました?」

忘れたことも忘れていた私は、ハムをパンに挟む手をとめた。

「さいごの言葉、まだ話してなかったよね?」

「あーー、そうでしたね! やりましょう!」

時計を見ると、交代時間まで残り四〇分ほどだった。少し急いで皿を洗い、食後の薬を飲ませ、座薬を入れた。残り三〇分。お待たせしましたー、と録音のためにiPhoneをベッドに置く。

「お願いします」。再び、私は合図の声を掛ける。

えー、上田家の長男として家を継ぐべき立場で、血縁の後継ぎを残すべき立場だったわけですが、こういう、期待とはまるで違う形で生きてきたわけで、僕も反骨精神もあって、（子どもが）できなかったってこともあるけど、一体、血縁とは何なのかということを、思いはあったりして。姉も血縁はないわけで、というところで、いわゆる人間関係の中で家族ができれば的な話の動きもあって、ああやって和空とか千種とかっていう孫もできて、息子みたいなやつもいるわけで。

その中で、知り合ったともみさんっていう女性が、身寄りは全然ないということもあって、いつの間にやら僕をお兄ちゃんと呼んでくれて。つい最近は僕のお墓の中に一緒に入りたいということを言い出してくれたんで、血縁じゃないところで家族ができたかなと、思っています。

あとはみかんの嫁さんです。

「ん？　みかんの嫁さん？」私は思わず聞き返してしまった。

嫁さんがまだ「未完」です。

「あー（笑）」

はい、終わり。みかんの話はまあいいかな（笑）。

1986年	38歳	五月女精子さん, 林忍さんと八百屋「みんなの広場」を始める
		母が倒れる
		24時間介助を入れ始める
1987年	39歳	父が亡くなる
		施設時代の友, 小林成壮さんが亡くなる
1988年	40歳	演劇でフィリピンに行く
		右手の緊張がなくなる
		電動車椅子の使用をやめる
1989年	41歳	最初の介助者, 林忍さんが亡くなる
1990年	42歳	八百屋「みんなの広場」を閉じる
		≫身体障害者福祉法改正(在宅サービスを推進)
		≫HANDS世田谷発足
		東急バスの乗車拒否に抗議、リフトバス導入の要求書提出
1992年	44歳	公共バス問題に取り組み始める(壁をなくす会)
1993年	45歳	運輸省が東急バスに業務改善勧告
		≫1993年　障害者基本法
1995年	47歳	デンマーク、ドイツ、スウェーデンでローフロア・バス視察ツアー
		「壁をなくす会」で帰国報告会
1997年	49歳	*≫国産ノンステップバスが走り始める*
		母親が倒れる(のち老人保健施設に入る)
		≫小佐野さんら「自立の家」を作る会結成
1998年	50歳	尿が出なくなる、入院
		下半身と両手の感覚が無くなる
		床ずれで入院
1999年	51歳	「ぼらんたす」の介助者・山田圭さんが亡くなる
2003年	55歳	母が亡くなる
		≫2005年　障害者自立支援法(06年施行)
		≫2006年　バリアフリー新法施行
2010年	62歳	介助者の星野近人さんが亡くなる
		床ずれ手術を終え体調が安定, 10年近い入退院生活を終える
		重度訪問介護制度の改善運動に参加する
		介助保障をもとめて不服申し立て, 二度却下され個別交渉へ
		≫2011年　障害者虐待防止法(12年施行)
		≫2012年　改正障害者自立支援法(障害者総合支援法)
		≫2013年　障害者差別解消法(16年施行)
		≫2014年　障害者権利条約締結
2017年	69歳	上田さんの24時間介助保障が世田谷区に認められる

上田要さん 年表

1948年	0歳	広島県佐伯郡能見町(現・江田島市)に上田家長男として生まれる
		≫1949年 身体障害者福祉法
1954年	6歳	佐伯郡能美町立中町小学校入学
1960年	12歳	能美町立能美中学校入学
1962年	14歳	学校に行けなくなる
		右足を伸ばす手術を受ける
1965年	17歳	祖母が亡くなる
		≫1973年 全国青い芝の会総連合会結成
1974年	25歳	5月, 身体障害者療護施設ときわ台ホームに入る
		12月, 施設から出る
		≫1975年 国連, 障害者の権利宣言
1976年	28歳	筋弛緩剤を飲んで座れなくなる
		≫1976 年 世田谷ボランティア連絡協議会(世ボ連)発足、「雑居まつり」はじまる
		≫1977年 全国青い芝の会の60人が川崎駅前でバス30台を占拠
		≫同年 小田急線梅丘駅にスロープが完成
1978年	30歳	父と2人で東京に移る
		父の膀胱癌が発覚、母が東京へ来る
		「蜂の会」に入る
1979年	31歳	碓井英一さんと出会う
		「世田谷福祉マップをつくる会」に入る
		≫身体障害者介護人派遣制度の改善を求める会(「求める会」)発足
		≫小佐野彰さんら「自立の家をつくる会」結成
		世ボ連と関わるようになる
		太田修平さんと出会う
1980年	32歳	「夜と夜の夜」上演実行委員会に関わる
1981年	33歳	「夜と夜の夜」上演、「太陽の市場」開催
		小佐野彰さんと出会う
		「太陽の市場工房」を始める
		≫国際障害者年
1982年	34歳	エド・ロング講演会
		≫「あたりまえの生活を考える」会発足
		外出や入浴に介助者を入れ始める
1983年	35歳	「太陽の市場」の主催でアジア民衆演劇祭
1985年	37歳	「太陽の市場」活動終了

終わりのあとに

それは、提出を終えた卒業論文を書籍化する話がちょうど持ち上がっていた頃だった。春から大阪に引っ越す予定だった私は、残りわずかとなった上田さんの介助に相変わらず週一回入っていた。いつものようにベッドに寝そべる上田さんの横で、いつものように椅子に腰を掛けて iPad の操作をしていた。冬の冷たさがまだ残る空気を、いつものようにガスヒーターが一生懸命温めていた。

「フェイスブック見ましたかー?」。

唐突に、けれども何気なく、会話は始まる。

「何の投稿ですかー」と私は先を促す。

実は、とちょっと照れ臭そうに上田さんは笑った。

「新しい　彼女　が　できました」。

「まじっすか!?　おめでとうございます」と言いながら、次のお相手はどなたなのだろうかと、私は勝手に想像していた。「次の」というのには、ちょっとした訳がある。本文中にも出てこないが、上田さんが今まで何人の方とお付き合いしたのかということは、私の口からは言えない。ちなみに上田さん曰く、自分でも呆れるくらい惚れやすい、ということである。「たしかに（笑）」と私はつい笑ってしまった。

「実は、Ｆさんです」。これには意表を突かれた。本当ですか⁉と思わず聞き返してしまった。Ｆさんと言えば、上田さんが「蜂の会」で出会い、上田さんを「世ボ連」に引き込み、そして沖縄で上田さんが酔っ払って名前を叫び続けたという、あのＦさんである。しかしいろいろと紆余曲折あり、結婚に至ることはなかったという。そして、再会したのだ。

最愛の、彼女（Ｆさん）いわく妹みたいな友だちがいたわけですよ。その人が今年の一月か、に急に亡くなっちゃって。えいちゃんっていう人なんだけど。前の日まで元気だったと。いきなり心肺停止状態で原因がまだ何なのかわからない、ということで、すごいショックを彼女が受けたんだろうと思ったんだけど。

そのえいちゃんの葬式を、お通夜の日に僕も当然お通夜の席に行ったんだけど、たまったま偶然に、別に僕探したわけじゃないし、たまたま偶然に彼女が横に並んで列席したので、ね。なんか、悲しみが伝わってきたわけですよ。ほんと偶然に隣り合わせになってたので、あー、これ、えいちゃん仕組んだなと、思って。
これから（彼女が）寂しくなるだろうなと思って、二月の中頃に梅まつりやってたから、たまには一緒に行こうかー？って誘ったら、彼女が、モトムのそばにいたいと連絡が来て。

「わお」。あまりの急展開に思わず口を衝いて出てしまった。

そうかーって感じで、これから一緒に生きて行こうって俺自身が覚悟して、羽根木公園の梅祭りで出会って、そういうニュアンスで話をして、一緒にご飯食べて、羽根木公園の中で。そしたらまあ喜んでくれて。手を繋いだ写真をFacebookにアップして。そういうことで、ここまで来ちゃったらあれだよね笑、公に出したほうがいいかなと思って。
あーもう、ここまで来たら、いいやって感じで、でFacebookで「同伴者」として書いたんだけど。もう七〇人くらいいいねくれて、お互いよく知ってる仲間から、最初から仲間だった人から、結婚するんですかーって連絡が来たりね。まあ、落ち着くところに落ち着こうかって感じで。

「そうなんですねー。いやー、よかったですね。」

俺が今更言うのもあれだけど、かわいかったです（笑）。

「（笑）、当時の写真ないんですか？」

当時の写真はあんまりないいんじゃない？

「『蜂の会』で知り合った後ですね、どんな感じで続いていったんですか？」

なんかだんだんだんだんだん惹かれていって、（出会って）二年後くらいに、なんて言ったかは覚えてないけど、好きだと、付き合ってほしいっていうことで言ったら、なんとなく受けてくれたみたいなところ。例の「当たり前の生活」を考える会にも参加してくれるようになって。いつの間にか、ほんといつの間にか、周りも認めてくれるようになって。そういうところから始まって、彼女の家に何度も僕が通うようになりました。畳の部屋だったんだけど、一緒に寝転んで話してたり、もう向こうの家族も認めてくれてて。そんなことから始まって。いろいろ紆余曲折ありまして、俺ももういいやって感じで（一回別れた）。

上田さんは「ここはカットで」と笑いながら、私にこの紆余曲折を話してくれた。気になる人は、上田さんに尋ねてみるといいかもしれない。苦笑いでやり過ごされそうな気もするけれど。

もともと惚れやすい人間だから、あっちらこっちら目を移したこともあります。でもなんか、忘れちゃいなかったってこともあって。片隅には残っていたと。そんなこんなで、落ち着くところに落ち着いたって感じです。

「じゃあこれにてチャンチャン、と」

はい（笑）。

「本当の本当に最後ですね？（笑）」

完結編です（笑）

「完結編でした（笑）。ありがとうございまーす。」

どうも失礼しました。

…………

ちょっとヒーターを温度下げようか。だいぶ暑くなって来てる。

「だいぶ暑くなって来ました？」

うん。

「（ヒーター）止めますね」

はい。

「はーい。いいですか、（録音）止めて？」

はい。


「言い残すことは？」

ないでーす（笑）

「はーい、じゃあ、止めまーす。」

「みかんの嫁」は未完のままでは終わらなかった。

けれども上田さんの人生は、これにて「完結」ではない。時計の針は進み続ける。最後にその針が止まる時まで、人は未だ見ぬ景色に出会ってゆく。たくさんの想い出を胸に抱きながら。私はためらいがちに、録音の停止ボタンをそっと押した。

EDOCHIDORI
お好み焼

1

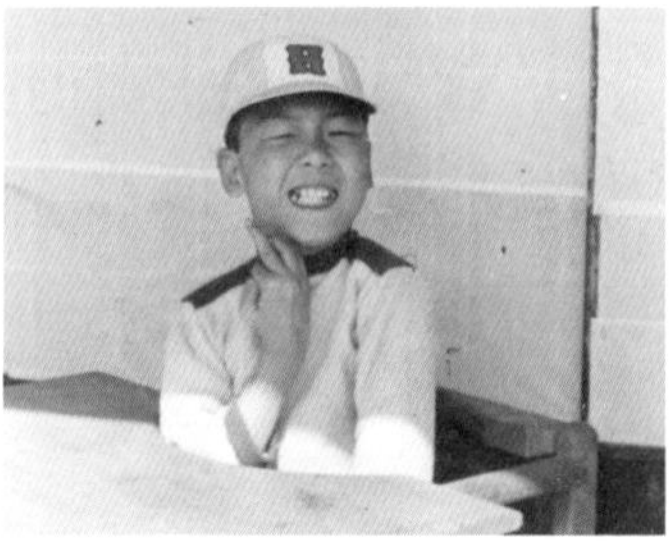

2

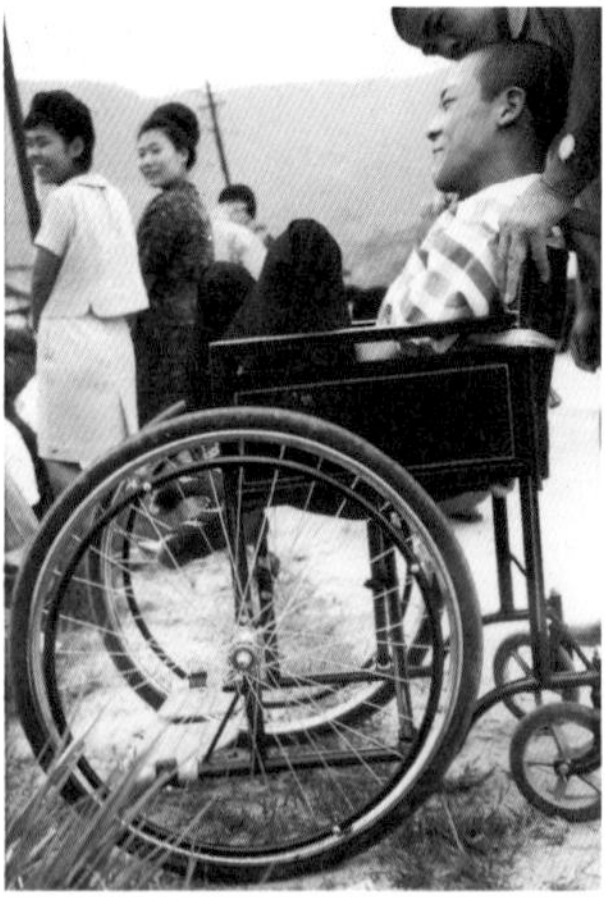

3

4

5

213頁　上田さんと和空くん

1　5歳の時、母の膝の上で

2　広島カープのキャップを被って10歳の頃

3　13歳の頃、地元のお祭りにて友人と

4　8歳の頃、我が家にて

5　成人式の日、晴れ姿

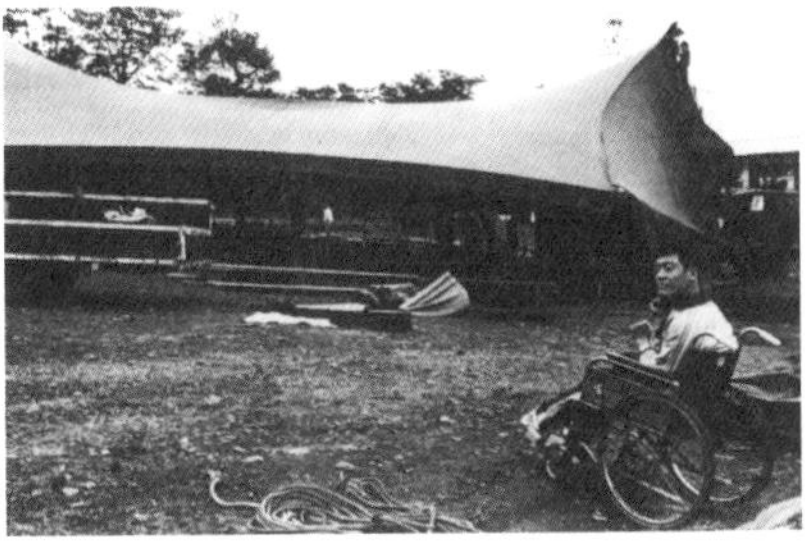

6

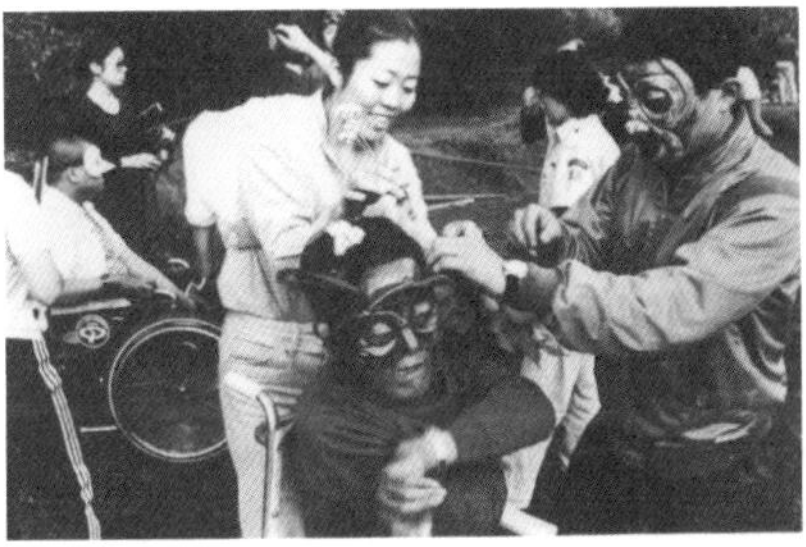

7

8

9

10

6　広場にテントが建った。くもり空の下で芝居の準備。羽根木公園にて。
7　演劇ワークショップ本番前、仮面をつける。『太陽の市場』(1981)より
8　ATF報告冊子の表紙：『太陽の市場のーと』(1983)より
9　太陽の市場実行委員会のようす
10　なにかの会議かと思いきや、おそらく仲間とたびたび出かけたカラオケ。

11

12

13

14

15

16

11 「みんなの広場」のお客さんたちと店先で

12 電動車椅子で配達に行く上田さんの後ろ姿

13 「みんなの広場」の外観

14 同店内、五月女さんと林さんと上田さん

15 渋谷駅前バスターミナルにおける抗議活動

16 介助者とともにリフトバスに乗る

16

17

16　和空くんと千種ちゃんを膝に抱える上田さん，ご両親と一緒に

17　HANDS 世田谷の仲間たち

あとがき

上田さんと話すのはとても楽しかった。それはおそらく、自分の知らない世界と出会う楽しさであり、そうして一見大きく異なるように見える世界に触れ、馴染んでいく楽しさだったのだろうと思う。「障害者」の生活に触れたことがなかった私は、上田さんと知り合う中で、「障害者」も酒を飲み、恋をし、カラオケで歌い、家族をつくることを知っていった。

下世話な話をしてしまえば、他のアルバイトに比べて時給もよかった。つまり楽しくて給料もいい仕事、という位置づけでしかなかった。

卒業論文のテーマを決め、上田さんのインタビューを始めた頃、「障害」そのものにあまり興味を持っていたわけではなかった。それは今でも変わらないのかもしれない。おそらく「障害」という実体があるわけではないのだ。私が興味を持つのはむしろ、「障害」というベールの向こう側にある、自分と変わらない人間に出会うことなのだろうと思う。しかし、上田さんの話を聴いていく中で、生活そのものすら「障害者」にとって決して当たり前ではないことも知っていった。「障害者」は恥とされ、いらない存在として社会から排除されてきたのだった。上田さんをはじめ「障害者」の方々が人生をかけて闘ってきたのは、その排除に異議を唱え、自らの生活を自らの手に取り戻していくためだった。

「障害者」がその闘いにおいて求めてきたことは、決して制度の充実だけではなかった。世田谷における運動を牽引してきた碓井英一さんが絶えず強調してきたことは、隣近所との付き合いのような、地域の人間関係と相互理解があってこそ、「障害者」は地域で生きていくことができるということだった。それは決して「障害者」の自立生活のためだけではない。あらゆる人が生きやすい地域をつくる。「障害者」は他の多くの人とともにその地域にいる、という位置付けだった。そうして地域の中で築かれてきた生活の一端に、私も介助者として携わってきたことを知った。

少しずつ私は「障害」と「福祉」の世界に惹かれていった。そして今年度から、立命館大学大学院人間科学研究科へと進学し、いよいよ本格的に「障害」と「福祉」の世界へと足を踏み入れた。

「害」という字に負のイメージが付きまとうことから「障がい」や「障碍」と表記されることもあるが、現在でも政府資料をはじめ一般的には常用漢字である「害」が用いられることが多い。本書では表記そのものに特定の意味を込めるのではなく、上田さんの語りから表記の背後にある様々なことを感じ考えてほしいという想いから、あえて一般的な「障害」を用いた。

当然ながら、ここで語られたものが、上田さんのすべてではない。語られたものの背景には、無数の語られなかったものの存在がある。言葉にならぬ想いがある。いつも、それらを心の片隅に止めておきたい。

本書を書き上げるにあたって、多くの人にお世話になり、ご迷惑をおかけした。

上田要さんに、まず感謝を述べたい。きっと私は、何よりもまず上田さんの人柄に惹かれたように思う。素晴らしい方に巡りあえてしあわせだった。聴き取りや資料整理の際には、上田さんの介助者の方々や、NPO法人HANDS世田谷の方々にも、大変お世話になった。この場を借りてお礼申し上げたい。

本書は、慶應義塾大学総合政策学部の卒業論文として執筆したものを、再度加筆修正して一冊にまとめたものである。卒業論文を指導してくださった小熊英二先生、ゼミの先輩や仲間からは多くの示唆と刺激をいただいた。ゼミを通して、考えることの基本を教えていただいた。立岩真也先生には、お忙しい中原稿に目を通していただき、専門家の視点からアドバイスをいただいた。細部を疎かにしないことの重要性を教えていただいた。

出版舎ジグの十時由紀子さんにも、感謝が尽きない。右往左往する私に辛抱強く付き合い、その都度軌道修正してくださり、なんとか本書をまとめることができた。

身勝手で迷惑と心配ばかりかける私を見放すことなく、見守り続けてくれた私の家族と、いついかなる時も手を離さず、ときに叱り、ときに励まし、ともに歩き続けてくれる私の妻にも感謝を述べたい。
最後に、幼稚園生の頃から一番仲が良く、小学二年生のときに亡くなった友人、帋渓峯有君にも感謝を述べたい。彼の存在が、私の全ての出発点であっただけでなく、人生の岐路に立ったとき、いつも一歩を踏み出す勇気をくれた。彼と出会っていなければ、今の私はない。

> 人間の風景の面白さとは、私たちの人生がある共通する一点で同じ土俵に立っているからだろう。一点とは、たった一度の一生をよりよく生きたいという願いであり、面白さとは、そこから分かれてゆく人間の生き方の無限の多様性である。
>
> （星野道夫『旅をする木』一七六頁）

たくさんの人の、さまざまな生活に、これからも目を向け、耳を傾けていきたい。もっともっと、信じあって暮らしていけるように。もっともっと、ぼくらはともに生きていることを知っていけるように。

二〇二〇年八月四日
岩下紘己

■渡邉琢(2018)『障害者の傷,介助者の痛み』青土社
■グラムシ, アントニオ(Q. Hoare and G. Nowell Smith ed.& tras.)(1978)『グラムシ獄中ノート』石堂清倫訳, 三一書房
■UPIAS(1976)Fundamental Principles of Disbility, London: UPIAS & DA (Union of the Physically Impaired Against Segregation & DisabilityAlliance)
■WHO(2002)『ICF国際生活機能分類:国際障害分類改定版』障害者福祉研究会編, 中央法規出版

インターネット

■劇団 黒テント[2019年12月4日アクセス]
https://www.ne.jp/asahi/kurotent/tokyo/

■自立生活センターHANDS世田谷, 自己紹介[2019年12月10日アクセス]
https://hands.web.wox.cc/profile

■同スタッフ紹介[2019年12月10日アクセス]
https://hands.web.wox.cc/novel4/cate1-1.html

■独立行政法人日本学生支援機構(2019)「平成30(2018)年度大学, 短期大学及び高等専門学校における障害のある学生の修学支援に関する実態調査結果報書」
[2019年11月6日アクセス]
https://www.jasso.go.jp/gakusei/tokubetsu_shien/chosa_kenkyu/chosa/_icsFiles/afieldfile/2019/07/22/report2018_2.pdf

■内閣府(2018)
「平成30年度 障害者施策の概況」
[2019年11月6日アクセス]
https://www8.cao.go.jp/shougai/whitepaper/h30hakusho/zenbun/index-pdf.html,

■内閣府(2014)「国際障害者年及び国際障害者の十年以降　平成26年度版 障害者白書」
[2019年12月10日アクセス]
https://www8.cao.go.jp/shougai/whitepaper/h26hakusho/zenbun/h1_02_01_03.html

■日本障害者協議会(2016)「役員・顧問体制」
[2019/12/4アクセス]
http://www.jdnet.gr.jp/guide/yakuin/member/ota.html,

世田谷区ほか障害者運動の資料

※HANDS世田谷, 上田要さん所蔵の資料を閲覧させていただきました。お礼申し上げます。

■生命の根実行委員会『感じて いのち 今伝えたい:1984.6.12 世田谷命の根 コンサート報告集』生命の根実行委員会・発行, 1985年
■『蜂　臨時増刊第2号　第1回自主講座からだのしくみと働き』身体障害者団体定期刊行物協会, 1987年3月5日発行
■『ちいき活動　世田谷ボランティア連絡協議会6周年記念誌No.2 』1981年9月22日, 身体障碍者団体定期刊行物協会,
「ちいき活動」編集実行委員会
■太陽の市場実行委員会編『太陽の市場　1981年5月22日〜6月3日世田谷区羽根木公園』身体障碍者団体定期刊行物協会, 1981年
■『東急バス乗車拒否事件報告集会資料集』1993年12月9日配布資料, 発行・上田要, 藤原敬久
■『「壁をなくす会」通信』第1号, 1994年6月1日, 障害者の交通権を求めバスの乗車の壁を無くす会
■『ドイツ・スウェーデン・デンマーク3か国視察報告会 1995年12月17日』
■障害者の交通権を求め, バス乗車の壁をなくす会, 定床バスとその利用者を増やす会
■東急バス「超低床のンステップバス導入, 7月2日より運土開始」

ほか多数

主要参考文献

■稙山富太郎，川口幸義，大城昌平編著（2015）『脳性麻痺ハンドブック第2版』医歯薬出版
■安積遊歩（1993）『癒しのセクシー・トリップ：私は車イスの私が好き！』太郎次郎社
■安積純子，岡原正幸，尾中文哉，立岩真也（2012）『生の技法：家と施設を出て暮らす障害者の社会学［第3版］』生活書院
■蘭（あららぎ）由岐子（2017）『「病いの経験」を聞き取る：ハンセン病者のライフヒストリー［新版］』，生活書院
■石川良子（2007）『ひきこもりの〈ゴール〉：「就労」でもなく「対人関係」でもなく』青弓社
■小熊英二（2015）『生きて帰ってきた男：ある日本兵の戦争と戦後』岩波書店
■オリバー，マイケル（2006）『障害の政治：イギリス障害学の原点』三島亜紀子・山岸倫子・山森亮・横須賀俊司訳，明石書店
■岸政彦（2015）『断片的なものの社会学』朝日出版社
■岸政彦（2018）『マンゴーと手榴弾：生活史の理論』勁草書房
■熊谷晋一郎（2009）『リハビリの夜』医学書院
■クラインマン，アーサー（1996）『病いの語り：慢性の病いをめぐる臨床人類学』江口重幸・五木田紳・上野豪志訳，誠信書房
■厚生省大臣官房企画室編（1956）『厚生白書昭和31年度版』
■厚生省特別研究（1969）『脳性小児麻痺の成因と治療に関する研究』（昭和43年度第2回班会議資料）
■厚生労働省（2009）「障害者自立支援法に基づく指定障害福祉サービス等及び基準該当障害福祉サービスに要する費用の額の算定に関する基準等の制定に伴う実施上の留意事項について」障発第0331041号（行政通知）
■小島直子（2000）『口からうんちが出るように手術してください』コモンズ
■桜井厚（2002）『インタビューの社会学：ライフストーリーの聞き方』せりか書房
■桜井厚（2012）『ライフストーリー論』弘文堂
■桜井厚編（2003）『ライフストーリーとジェンダー』せりか書房
■桜井厚編（2006）『戦後世相の経験史』せりか書房
■シュッツ，アルフレッド（1980）『現象学的社会学』森川眞規雄・浜日出夫訳，紀伊國屋書店
■杉野昭博（2007）『障害学　理論形成と射程』東京大学出版会
■杉本章（2008）『障害者はどう生きてきたか：戦前・戦後障害者運動史［増補改訂版］』現代書館
■東京大学大学院総合文化研究科・教養学部相関社会科学研究室編（2004）「澤畑勉さん インタビュー」『ネットワークと地域福祉2003年度世田谷区調査最終報告集』（大学所蔵資料）
■新田勲（著），全国公的介護保障要求者組合（編）（2012）『愛雪：ある全身重度障害者のいのちの物語』上下巻，第三書館
■バーンズ，C.，マーサー，G.，シェイクスピア，T.（2004）『ディスアビリティ・スタディーズ：イギリス障害学概論』杉野昭博・松波めぐみ・山下幸子訳，明石書店
■原一男（監督），小林佐智子（製作）（1972）『さようならCP』疾走プロダクション［ドキュメンタリー映画］
■樋口恵子（1998）『エンジョイ自立生活：障害を最高の恵みとして』現代書館
■深田耕一郎，（2013）『福祉と贈与：全身性障害者・新田勲と介護者たち』生活書院
■本多節子（2005）『脳性マヒ，ただいま一人暮らし30年：女性障害者の生きる問い』明石書店
■三井絹子（2006）『私は人形じゃない：抵抗の証』「三井絹子60年のあゆみ」編集委員会ライフステーションワンステップかたつむり
■やまだようこ編著（2000）『人生を物語る：生成のライフストーリー』ミネルヴァ書房
■横塚晃一（2007）『母よ！殺すな』生活書院
■鷲田清一（1999）『「聴く」ことの力：臨床哲学試論』TBSブリタニカ
■鷲田清一（2006）『「待つ」ということ』角川学芸出版
■渡辺一史（2003）『こんな夜更けにバナナかよ：筋ジス・鹿野靖明とボランティアたち』北海道新聞社

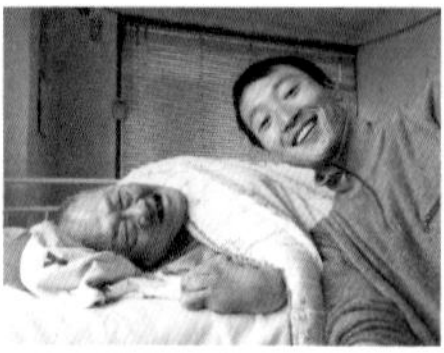

岩下紘己（いわした・ひろき）

1996年東京生まれ。慶應義塾大学総合政策学部卒業。大学在籍中、NPO法人HANDS世田谷派遣の上田要さん専属介助者として週に1回の泊まり介助を担当。現在、立命館大学大学院人間科学研究科博士前期課程在籍。

ひらけ！モトム

大学生のぼくが世田谷の一角で介助をしながらきいた、
団塊世代の重度身体障害者・上田さんの人生

2020年9月15日　初版発行

著者　岩下紘己

装幀＋装画＋組版　沼本明希子（direction Q）
印刷・製本　中央精版印刷株式会社

ISBN　978-4-909895-03-5　C0036
価格　1,400円（税抜）

発行人　十時由紀子
発行所　出版舎 ジグ
〒156-0043　東京都世田谷区松原1-25-9
FAX: 03-6740-1991　https://jig-jig.com/

jig-03